DOCUMENTS D'HISTOIRE

LA PREMIÈRE GUERRE MONDIALE 1914-1918

CHRISTINE HATT

GAMMA • ÉCOLE ACTIVE

Titre original : *The First World War 1914-18.*

60120 Bonneuil-les-Eaux, 2002,
pour l'édition française.
Traduit par Noëlle Commergnat.
Dépôt légal : mars 2003.
Bibliothèque nationale.
ISBN 2-7130-1967-2

Exclusivité au Canada :
Éditions École Active
2244, rue de Rouen, Montréal,
Qué. H2K 1L5.
Dépôts légaux : mars 2003.
Bibliothèque nationale du Québec,
Bibliothèque nationale du Canada.
ISBN 2-89069-716-9

Loi n° 49-956 du 16 juillet 1949
sur les publications destinées à la jeunesse.

Imprimé en Espagne.

Crédits photographiques :
L'auteur et l'éditeur remercient gracieusement les personnes et les sociétés suivantes qui ont permis de reproduire les différents documents iconographiques de ce livre.
Couverture (image de fond, bg et hd) Topham Picturepoint (m et hg) Mary Evans Picture Library (bd) e.t. archive. **Page de titre** Topham Picturepoint. **Page 7** (h) Mary Evans Picture Library (b) Popperfoto. **Page 8** Popperfoto. **Page 9** Mary Evans Picture Library. **Page 10** Topham Picturepoint. **Page 11** (h et b) Mary Evans Picture Library. **Page 12** Popperfoto. **Page 13** Mary Evans Picture Library. **Page 15** (h) e.t. archive (b) Kensington Library Special Collection. **Page 17** (h et b) e.t. archive. **Page 18** Topham Picturepoint. **Page 20** Popperfoto. **Page 21** (h) Popperfoto (b) Topham Picturepoint. **Page 22** e.t. archive. **Page 23** e.t. archive. **Page 24** (hd) Topham Picturepoint (bg). Popperfoto. **Page 25** (h et b) Mary Evans Picture Library. **Page 26** Hulton Getty **Page 27** (d) Mary Evans Picture Library (bg) Topham Picturepoint. **Page 28** (h) Topham Picturepoint (b) Popperfoto. **Page 29** (m et b) Mary Evans Picture Library. **Page 30** (hg) Mary Evans Picture Library (bd) Popperfoto. **Page 31** (h) Popperfoto (b) Topham Picturepoint. **Page 33** Topham Picturepoint. **Page 34** (hd) Topham Picturepoint (bg) Popperfoto. **Page 35** e.t. archive. **Page 36** (g) Popperfoto (d) Topham Picturepoint. **Page 37** (g) Hulton Getty (bd) Topham Picturepoint. **Page 38** (h) Topham Picturepoint (b) The Kobal Collection. **Page 39** (g) From the papers of D J Sweeney, at the Department of Documents in The Imperial War Museum (d) Popperfoto. **Page 40** (g) Topham Picturepoint (d) Mary Evans Picture Library. **Page 41** Topham Picturepoint. **Page 42** (h) Popperfoto (b) Topham Picturepoint. **Page 43** (h) e.t. archive (b) Mary Evans Picture Library. **Page 44** Hulton Getty. **Page 45** Mary Evans Picture Library. **Page 46** Popperfoto. **Page 47** (h) Popperfoto (b) e.t. archive. **Page 48** Popperfoto. **Page 49** (h) e.t archive (b) Topham Picturepoint. **Page 51** Topham Picturepoint. **Page 52** (hd) e.t. archive (b) Topham Picturepoint. **Page 53** e.t. archive (b) Avec les remerciements de Kensington Library Special Collections. **Page 54** (h) Hulton Getty (b) Mary Evans Picture Library. **Page 56** e.t. archive. **Page 57** (h et b) Hulton Getty. **Page 58** Popperfoto. **Page 59** Popperfoto.

L'auteur et l'éditeur remercient gracieusement les personnes et les sociétés suivantes qui ont permis de reproduire les différents documents de ce livre.
Page 9, **page 11** (h), **page 39** (b), **page 57** (b) Extrait de *Historic Documents of World War 1* de Louis L. Snyder. Publié par Greenwood Press, Connecticut. **Page 11** (b), **page 31** *The Virago Book of Women and The Great War 1914-1918*, publié par Little, Brown and Co, London. **Page 13** (m), **page 21** (b), **page 33**, **page 55** (b) *A French Soldier's War Diary 1914-1918*. Publié par The Elmfield Press, Yorkshire, 1975. **Page 13** (b), **page 15**, **page 29** (b) Extrait de *An English Wife in Berlin*, courtesy of Kensington Library. **Page 17** (m), **page 43**, **page 37** (b), **page 51** Extrait de *The Imperial War Museum Book of the Western Front* de Malcolm Brown (London: Sidgwick & Jackson, 1993), avec les remerciements de the Imperial War Museum Department of Documents and to the copyright holders of each document. **Page 17** (b), **page 35** (h) Extrait de *Voices & Images of the Great War* de Lyn Macdonald, reproduit avec la permission de Penguin UK. **Page 19** (h), **page 21** (m) *With a machine gun to Cambrai* de George Coppard. **Page 19** (b), **page 29** (m) *Goodbye To All That* de Robert Graves, Carcanet Press Limited. **Page 23** Extrait *The Great War and the Shaping of the 20th Century*, publié par Penguin Puttnam Inc. **Page 27** (m) *From U-Boat to Concentration Camp*, publié par William Hodge and Co., Glasgow. **Page 35** (b) *The Farmer Remembers the Son*, extrait de «The Camp», Sidney J. Endacott, 1920. **Page 37** Extrait de *The Red Baron*, publié par Bailey Brothers & Swinfen Limited, Folkestone. **Page 53** *All Quiet on the Western Front* de Erich Maria Remarque. "m Westen Nichts Neues", copyright 1928 de Ullstein A. G.; Copyright renewed © 1956 de Erich Maria Remarque. "All Quiet on the Western Front", copyright 1929, 1930 de Little, Brown and Company; Copyright renewed © 1957, 1958 de Erich Maria Remarque. Tous droits réservés. **Page 55** (m) Extrait de *Testament of Youth* de Vera Brittain est reproduit avec la permission de Mark Bostridge and Rebecca Williams. **Page 58** (m) Avec la permission de The Society of Authors, pour le compte de Laurence Binyon Estate.

Sommaire

L'ÉTUDE DE DOCUMENTS

La guerre qui se déroula en Europe de l'été 1914 à l'automne 1918 différa totalement de tous les conflits précédents. Tout d'abord par son importance : des cinq pays concernés à l'origine - France, Grande-Bretagne, Allemagne, Russie, Autriche-Hongrie - elle s'étendit aux cinq continents, devenant ainsi la Première Guerre mondiale. Ensuite par sa nature même : nouvel armement, véhicules modernes et nouvelles stratégies. Enfin, par son impact sur les populations civiles.

Ce livre raconte l'histoire de ce conflit qui dura plus de quatre ans. Il présente la situation politique qui provoqua cette guerre ainsi que ses conséquences immédiates. Il retrace l'évolution des stratégies : de la « guerre de mouvement » de 1914 aux offensives finales, en passant par les terribles années de la guerre de tranchées. Il relate les expériences de guerre de nombreuses personnes, des grands chefs militaires aux ouvrières travaillant à l'arrière. Il expose enfin les changements politiques et sociaux qui bouleversèrent le monde après la signature de l'armistice.

Pour donner vie à cette page d'histoire, ce livre *La Première Guerre mondiale* utilise de nombreux documents très différents : traités, lettres de soldats, tracts de propagande, journaux intimes et articles de presse, ainsi que des extraits de romans et de poèmes écrits pendant et après la guerre. Pour faciliter leur lecture, tous ces documents sont composés en caractères modernes. Les termes vieillis ou difficiles sont expliqués dans des légendes. Certains extraits sont illustrés par des photographies de documents originaux.

Lorsque vous regardez un document, il faut penser à son origine. A-t-il été écrit au début de la guerre, quand personne ne soupçonnait encore la sauvagerie des combats, ou plus tard, quand le conflit avait déjà fait des milliers de victimes ? Qui l'a écrit ? Un politicien qui n'avait jamais mis les pieds sur un champ de bataille ou un soldat qui avait vécu les horreurs des combats ? Était-ce de la propagande, destinée à remonter le moral des troupes et non pas à faire connaître la vérité ? Ces questions parmi d'autres vous aideront à apprécier la valeur historique d'un document. Mais souvenez-vous qu'un seul document ne peut rendre compte d'un événement aussi complexe et important que la Première Guerre mondiale.

Voici quelques extrait de documents présentés dans cet ouvrage. Nous les avons sélectionnés pour vous donner une idée de la variété des documents utilisés et vous expliquer quand et comment certains d'entre eux furent écrits.

De nombreuses œuvres d'imagination furent écrites par des soldats ayant participé aux combats. Quelques extraits sont présentés dans ce livre. Voici un passage d'un poème écrit par Vance Palmer, un soldat australien qui se battit dans la Somme (voir page 35).

S'effaceront-elles un jour
Cette boue et ces silhouettes brumeuses
Défilant sans cesse dans les marais infects
Et cette eau grise baignant l'herbe et les roseaux
Et ces **ailes d'acier bourdonnantes** ?

Que signifie cette dernière ligne ? Certains mots ou expressions sont difficiles à comprendre. Ils sont surlignés et expliqués dans des légendes en marge des documents.

Les journaux intimes sont une source inestimable d'informations sur les activités quotidiennes des soldats sur le front ou des civils dans les zones de combats. Le *Journal de Guerre 1914-1918* d'Henri Desagneaux donne une image de la vie quotidienne des soldats (voir pages 13 et 21).

Nous vivons dans la terre, nos vêtements sont recouverts d'une épaisse couche de fange, nous avons des démangeaisons partout, dans nos chaussures, dans nos pantalons, sous nos chemises, nous ne pouvons pas dormir 5 min. Même si les fusils se taisent, la vermine continue à ramper.

Les articles, les interviews et les publicités publiés dans les journaux permettent de se faire une idée de la vie en temps de guerre et mettent en évidence certains événements particuliers. En 1915, le gouvernement allemand fit paraître cette annonce dans un journal américain (voir page 27). Les passagers qui s'apprêtaient à embarquer sur le *Lusitania* ne lui prêtèrent pas attention et des centaines d'entre eux moururent quand le navire fut coulé.

Le naufrage du *Lusitania*.

Il est rappelé aux voyageurs ayant l'intention de traverser l'Atlantique que l'Allemagne et ses alliés sont en guerre ; que la zone des combats comprend les eaux baignant les Îles britanniques ; qu'en accord avec l'avertissement officiel lancé par le gouvernement allemand, les navires battant pavillon de la Grande-Bretagne ou de l'un de ses alliés sont susceptibles d'être détruits dans ces eaux...

Certains documents sont d'origine gouvernementale et présentent la vision officielle du conflit. Dans ses mémoires, le général britannique Douglas Haig cite le télégramme que lui envoya son gouvernement après la terrible bataille de Passchendaele en 1917 (voir page 45).

Le ministère de la Guerre désire vous féliciter ainsi que les troupes placées sous votre commandement pour les succès que vous avez remportés dans les Flandres au cours de la grande bataille qui fait rage depuis le 31 juillet.

LES ORIGINES

LES EMPIRES ET LES ALLIANCES

L'empereur d'Allemagne Guillaume II (à gauche) et le roi d'Angleterre George V étaient cousins. Leur ressemblance apparaît clairement sur cette photographie de 1913.

À la fin du XIXe et au début du XXe siècle, les plus grandes puissances européennes se regroupèrent en deux coalitions militaires hostiles. Les tensions grandirent et les conditions de la guerre furent réunies bien avant 1914.

L'Empire allemand vit le jour en 1871, à la suite de la guerre contre la France. Guillaume II, empereur depuis 1888, était déterminé à faire de son Empire une puissance mondiale et développa son industrie et ses forces armées. Il entreprit en particulier de créer une marine capable de rivaliser avec la marine britannique. Cette course aux armements provoqua rapidement une tension entre les deux pays.

Avec l'Autriche-Hongrie et l'Italie, l'Allemagne avait formé en 1882 la Triple-Alliance (ou Triplice). L'Allemagne était le pays le plus puissant de cette alliance. Le royaume d'Italie était unifié depuis 1861, mais restait un pays faible et désireux d'éviter la guerre. L'Empire austro-hongrois était en train de s'écrouler et l'empereur François-Joseph tentait de garder le contrôle de ses 11 nations. Il craignait en outre la Serbie qui voulait s'emparer de certains territoires de l'Empire.

Depuis 1910, George V était roi de Grande-Bretagne, une grande nation industrielle possédant un vaste empire colonial. La défense du pays reposait essentiellement sur sa puissante marine. Son armée était relativement peu importante et le service militaire n'était pas obligatoire comme dans les autres grands pays européens. La Grande-

LES ALLIANCES EUROPÉENNES

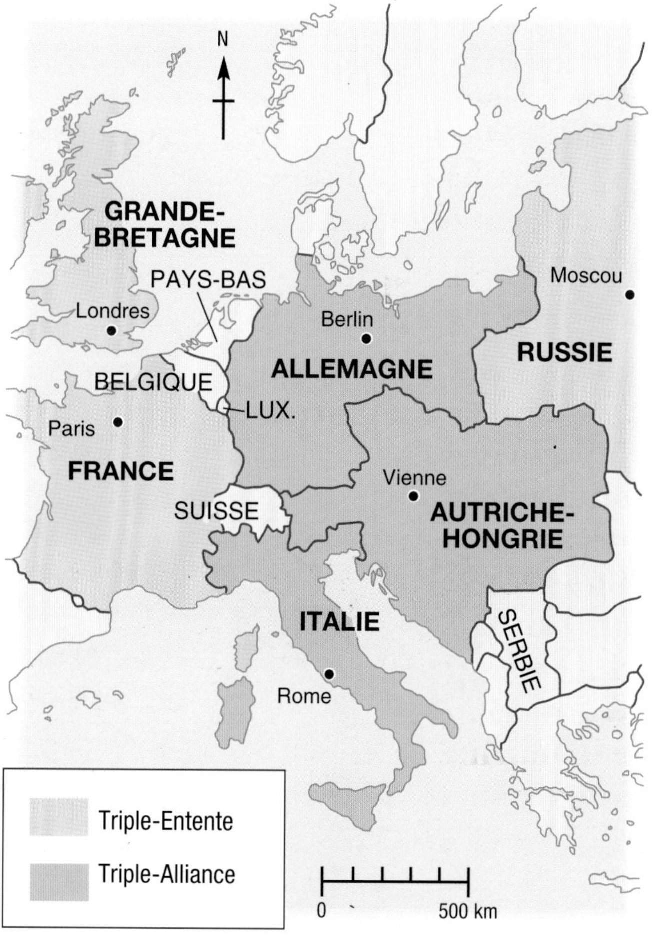

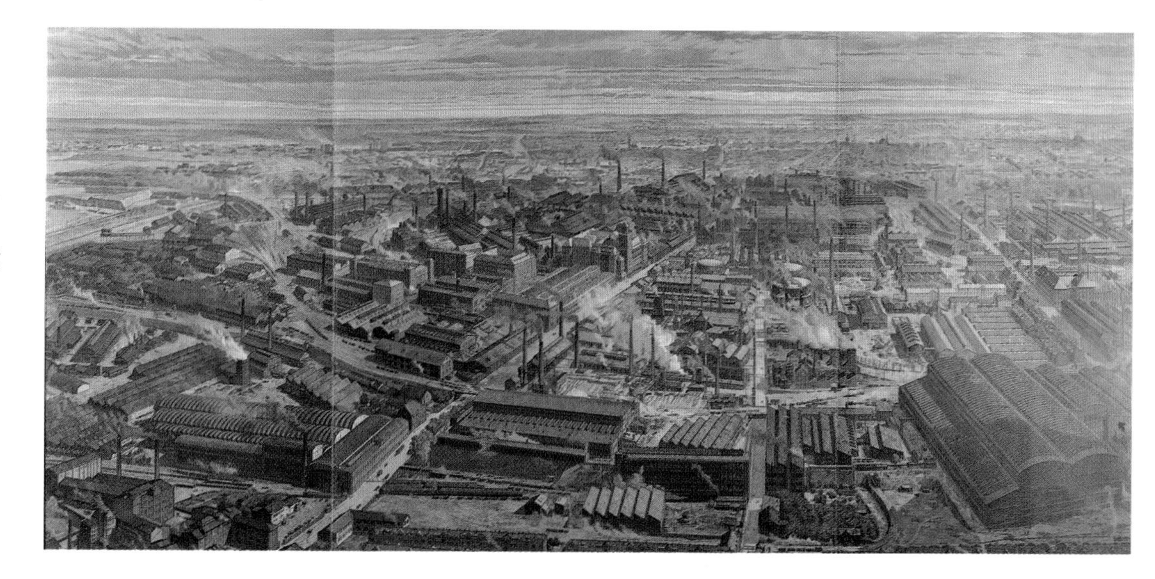

Les usines de la famille Krupp jouèrent un rôle important dans le programme d'industrialisation de l'Allemagne. Elles produisaient l'acier pour la construction navale ainsi que l'artillerie lourde utilisée pour bombarder les lignes ennemies au cours de la guerre.

Bretagne voulait préserver sa prédominance sur l'Europe du Nord et n'appréciait gère l'industrie de guerre allemande.

Après sa défaite de 1870, la France avait cédé à l'Allemagne l'Alsace et la Lorraine. Ce fut un grand coup porté à l'orgueil national français et le gouvernement promit de les reconquérir. Ce sentiment anti-allemand faisait de la France un allié naturel de la Grande-Bretagne et les deux pays formèrent donc l'Entente cordiale en 1904.

Nicolas II, tsar de l'Empire russe depuis 1894, disposait d'une armée importante, mais mal équipée. Les Russes ne voulaient pas la guerre, mais étaient prêts à aider les Serbes, leurs frères slaves, contre l'Autriche-Hongrie.

En 1907, les Russes s'allièrent à la Grande-Bretagne et à la France pour former la Triple-Entente. La Triple-Alliance avait donc des ennemis potentiels à l'est et à l'ouest. La guerre paraissait probable.

LA NEUTRALITÉ BELGE

En 1839, toutes les grandes puissances européennes, dont la Prusse (qui devint partie de l'Empire allemand), signèrent le traité de Londres. Ce traité stipulait que la Belgique devait rester neutre dans tout conflit à venir. Le non-respect par l'Allemagne de cette clause joua un rôle important dans le déclenchement des hostilités (page 10).

Le 28 octobre 1908, le journal britannique *The Daily Telegraph* publia une interview de l'empereur Guillaume II dans laquelle ce dernier affirmait aux lecteurs qu'il ne voulait pas la guerre. Malheureusement, son discours énergique donna l'impression contraire. Il explique ici les raisons du développement de la marine allemande (voir pages 26-27).

Mais, me demanderez-vous, et la marine allemande ? N'est-elle pas une menace pour l'Angleterre ? Ma réponse est claire. L'Allemagne est un jeune empire en expansion. Son commerce mondial se développe rapidement et l'ambition légitime de tous les patriotes allemands se refuse à lui imposer des limites. L'Allemagne doit disposer d'une flotte puissante pour protéger ce commerce et ses nombreux intérêts jusque sur les mers les plus lointaines. Elle espère que ces intérêts vont continuer à croître, et elle doit être prête à les défendre dans toutes les régions du monde.

La marche vers la guerre

Le 28 juin 1914, l'archiduc François-Ferdinand, héritier du trône austro-hongrois, se rendit en visite officielle dans la ville de Sarajevo, en Bosnie-Herzégovine. Les événements qui se déroulèrent ce jour-là précipitèrent le monde dans la guerre.

La Bosnie-Herzégovine faisait partie de l'Empire austro-hongrois depuis 1908. Elle était peuplée de Slaves, en majorité serbes, qui demandaient leur rattachement à la Serbie favorable à ce projet. Certains nationalistes - dont les membres d'une société secrète, la Main noire - étaient prêts à utiliser la violence pour conquérir l'indépendance de la Bosnie-Herzégovine.

Sept membres de la Main noire se mirent en embuscade sur le trajet que la voiture de l'archiduc François-Ferdinand devait suivre dans Sarajevo. L'assassinat de l'archiduc faisait partie de leur plan pour conquérir l'indépendance. Six de ces hommes échouèrent, mais le septième, un Serbe de 19 ans, Gavrilo Princip, tua François-Ferdinand et sa femme. Cet assassinat provoqua une crise politique européenne.

L'Autriche-Hongrie imputa cet acte de terrorisme à la Serbie et décida de réagir fermement. Mais l'empereur François-Joseph consulta d'abord Guillaume II, car il voulait s'assurer du soutien de l'Allemagne en cas de guerre dans les Balkans. Il obtint les assurances qu'il désirait et envoya un ultimatum à la Serbie le 23 juillet.

Cet ultimatum contenait de nombreuses exigences. La Serbie devait mettre un terme aux agissements de toutes les organisations qui complotaient contre l'Autriche-Hongrie et accepter pour cela la participation des fonctionnaires autrichiens. La Serbie répondit le 25 juillet : elle acceptait la plupart des exigences et n'en rejetait définitivement aucune. Mais l'Autriche-Hongrie avait décidé que la guerre était nécessaire et elle fut déclarée le 28 juillet à 11 h 10.

Le système des alliances fonctionna immédiatement. L'Allemagne avait déjà décidé de soutenir l'Autriche-Hongrie, son partenaire dans la Triple-Alliance, mais l'Italie resta neutre. La Russie se rangea au côté des Serbes. La France soutint la Russie, son partenaire dans la Triple-Entente. Le 3 août, l'Allemagne envahit la Belgique neutre pour atteindre la France, ce qui provoqua l'entrée en guerre de l'Angleterre aux côtés de ses alliés français et russes.

Quand ils partirent pour la France, en août 1914, les soldats allemands pensaient remporter une victoire facile et rentrer rapidement chez eux. L'un des messages écrits à la craie sur ce wagon - « Ausflug nach Paris » (excursion à Paris) - illustre leur optimisme.

Borijove Jevtic était l'un des hommes prêts à assassiner l'archiduc François-Ferdinand le 28 juin 1914. Ce passage est extrait du récit de cette journée qui parut dans le journal américain le *New York World* du 29 juin 1924.

Nous savions ce que allions faire. Nous allions assassiner François-Ferdinand pour montrer à l'Autriche que son autorité était remise en question à l'intérieur de ses frontières. Nous allions porter à ébullition l'esprit combatif des révolutionnaires et paver la route de la révolte... Quand la voiture s'approcha, (Princip) descendit du trottoir, sortit son pistolet automatique de son manteau et tira deux coups. Le premier atteignit la femme de l'archiduc... à l'abdomen... Le second toucha l'archiduc dans la région du cœur. Il ne prononça qu'un mot : « Sofia », le nom de sa femme. Puis sa tête bascula en arrière et il s'écroula.

Une illustration représentant le double assassinat de Sarajevo.

En 1914, le Premier ministre britannique était Herbert Henry Asquith. Le 4 août, il était présent au Parlement quand la Grande-Bretagne annonça sa décision d'entrer en guerre. Son épouse Margot raconte dans son autobiographie ce qui se passa ensuite.

La déclaration fut faite au nom du roi George V.

Quand le président de la Chambre des communes eut achevé la lecture du **message royal**, les parlementaires quittèrent la salle et je rejoignis le Premier ministre dans son bureau... Je m'assis à ses côtés. Mes membres étaient engourdis... Henry (le Premier ministre) était assis à sa table de travail, penché en arrière, un stylo à la main... Je me levai et appuyai ma tête contre la sienne : nos larmes nous empêchaient de parler. En rentrant à **Downing Street**, je me couchai. Comment était-ce arrivé ?... La pendule posée sur la cheminée sonna minuit et quand le douzième coup retentit, tout devint silencieux. Nous étions en guerre.

Le **10 Downing Street** est la résidence londonienne du Premier ministre.

Margot Asquith.

1914

Le plan Schlieffen

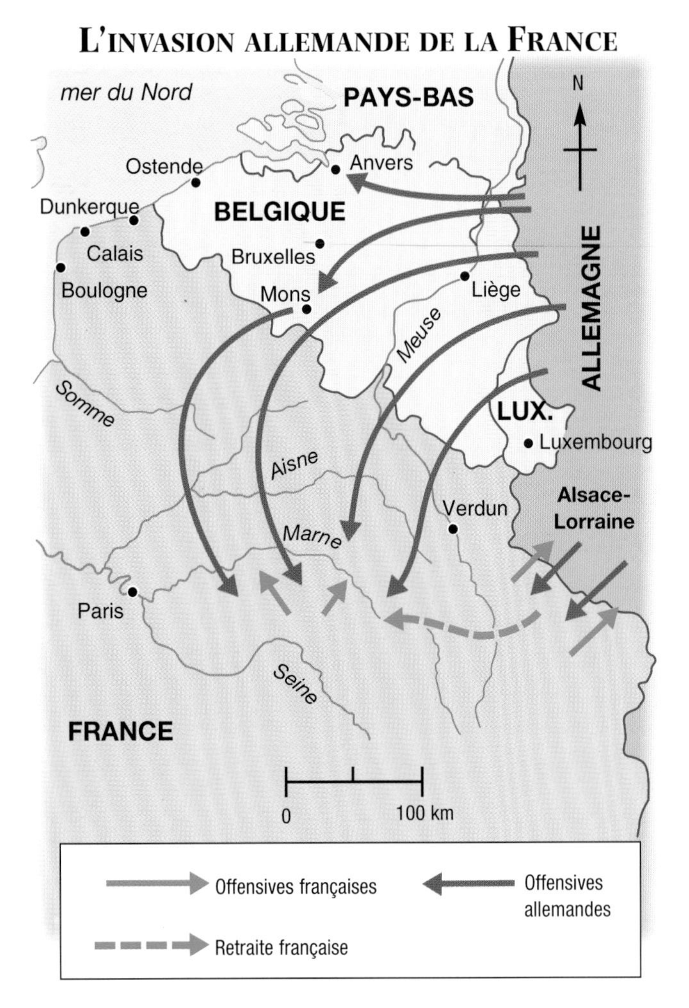

Les Allemands voulaient une victoire rapide et décisive. En 1905, le comte Alfred von Schlieffen, alors chef d'état-major allemand, avait dressé un plan pour éviter de se battre sur deux fronts, à la fois contre le France et la Russie.

L'objectif de ce plan était de s'emparer de Paris, de vaincre la France et de s'occuper ensuite de la menace russe à l'est. Mais les événements ne se déroulèrent pas comme l'empereur et le nouveau chef d'état-major Helmut von Moltke l'avaient espéré. Les Allemands entrèrent en Belgique le 4 août. L'armée belge était mal équipée, mais elle opposa une résistance inattendue. Les Allemands parvinrent cependant à traverser le pays en trois semaines, faisant fuir devant eux des milliers de réfugiés.

Les Français, commandés par le général Joseph Joffre, étaient mieux préparés que ne l'avaient pensé les Allemands. Dès que la guerre éclata, ils appliquèrent leur plan XVII : attaquer les Allemands en Alsace et en Lorraine ; pousser l'offensive jusqu'à la capitale allemande, Berlin ; prévoir des troupes pour résister à l'invasion de la Belgique.

Ce plan XVII fut un échec. Les sabres et les fusils français n'étaient pas de taille à lutter contre l'artillerie lourde allemande en Alsace-Lorraine. Plus de 40 000 soldats français y périrent entre le 20 et le 23 août. Les survivants se replièrent et se joignirent aux forces qui tentaient de repousser les Allemands. Mais les Français furent de nouveau débordés. L'Allemagne avait espéré que la Grande-Bretagne resterait en dehors des hostilités. Mais le corps expéditionnaire britannique, placé sous les ordres de John French, se mit en route vers la Belgique dès qu'elle fut envahie. Le 23 août, il se heurta à l'armée allemande près de Mons. Après une bataille d'une journée, les Britanniques durent se replier en France.

Le général Helmut von Moltke.

Les Français avaient été repoussés jusqu'à la Marne où ils furent rejoints par les Britanniques. Les Allemands étaient à 40 km de Paris. Mais au lieu de poursuivre leur avancée vers l'ouest et d'attaquer la ville comme prévu, les troupes allemandes épuisées se dirigèrent vers la Marne, à l'est. Joffre fit venir des renforts de Paris et, du 5 au 9 septembre, pendant la bataille de la Marne, les Allemands furent contraints de reculer jusqu'à l'Aisne. Le plan Schlieffen avait échoué sur le front ouest.

Des réfugiés belges font la queue pour une distribution de nourriture.

Henri Desagneaux se battit dans l'armée française pendant la Première Guerre mondiale. Son *Journal de Guerre 14-18* fut publié longtemps après, en 1971. Il évoque dans ce passage la fuite des réfugiés à travers la France pendant les premiers jours de la guerre.

Canasson est un mot familier pour désigner un cheval.

Les **autorités de réquisition** étaient composées de militaires chargés d'exiger la fourniture des moyens nécessaires aux armées (logement, nourriture, moyen de transport...).

Mardi 25 août
Des réfugiés arrivent de partout, un mélange de toutes les classes sociales : le paysan et son petit baluchon ; l'ouvrier avec quelques vieux vêtements ; des petits fermiers et des artisans avec leurs valises et finalement le bourgeois tirant un chien ou une malle... Hommes, femmes, enfants et vieux sont entassés dans les véhicules qu'ils ont pu trouver. C'est un triste spectacle de voir ces vieilles charrettes tirées par des **canassons**, que même les **autorités de réquisition** ont refusé, et ces pauvres gens en détresse quittant leurs maisons et tout ce qu'ils possèdent sans savoir s'ils reviendront.

La princesse britannique Evelyn Blücher épousa un comte allemand. Elle passa les années de guerre à Berlin et publia, en 1921 ses souvenirs de cette époque. Elle évoque ici la difficulté qu'avaient les civils allemands et britanniques à savoir ce qui se passait vraiment.

Le prestigieux journal britannique le ***Times*** publie ici une propagande mensongère sur Berlin.

Berlin, le 18 septembre 1914
Il est étrange que nous ayons si peu de nouvelles des combats autour de Paris. Nous nous attendons chaque jour à apprendre l'entrée triomphale des Allemands dans la ville. Il paraît que les combats sont très durs et que les pertes humaines sont terribles des deux côtés, mais je commence à croire que le vent a tourné contre les Allemands, d'où ce silence soudain... Nous avons enfin trouvé un moyen d'acheter le **Times**... nous savons enfin ce que les Anglais font et pensent vraiment... Des bruits étranges circulent... **Berlin est en flammes et est en proie à la famine, à la panique et à la révolution**. Comment connaîtrons-nous enfin la vérité ?

LE FRONT DE L'EST

Le plan Schlieffen avait aussi sous-estimé les Russes. Les Allemands pensaient qu'il faudrait au moins six semaines à l'armée russe pour être opérationnelle, mais ils se trompaient et cette erreur leur coûta cher.

La Russie disposait d'environ un million et demi de soldats de métier. Le 7 août, environ 370 000 d'entre eux, répartis en deux armées, envahirent l'Allemagne. Pendant ce temps, la Russie mobilisait trois autres millions de soldats. Les Allemands réalisèrent alors qu'ils devraient se battre simultanément sur les fronts ouest et est. Le général von Moltke dégarnit ses forces en Belgique pour envoyer des renforts à l'est. Il nomma également deux nouveaux commandants à la tête des armées du front est, Paul von Hindenburg et Erich Ludendorff.

Les forces russes étaient beaucoup plus importantes que les forces allemandes, mais elles étaient mal entraînées, mal dirigées et mal équipées. Les commandants des deux armées, Alexandre Samsonov et Pavel Rennenkampf, se détestaient et communiquaient peu. Enfin, les messages radio des Russes n'étaient pas codés, ce qui permit aux Allemands de découvrir rapidement leur plan de bataille.

Ce plan était simple. Les deux armées russes devaient se séparer et contourner les lacs de Mazurie, dans le Nord-Est de l'Allemagne, avant de se rejoindre et de prendre en tenaille les troupes allemandes. Quand le lieutenant-colonel allemand Max Hoffmann eut connaissance de ce plan, il imagina une contre-attaque : il attaquerait pendant que les armées russes étaient encore séparées.

L'armée de Samsonov arriva la première à l'ouest des lacs. La bataille de Tannenberg se déroula du 26 au 31 août et l'armée russe fut écrasée. Environ 80 000 soldats russes furent tués et presque tous les autres faits prisonniers. Les Allemands se tournèrent alors vers l'est pour arrêter l'armée de Rennenkampf aux lacs de Mazurie.

LE FRONT EST 1914-1916

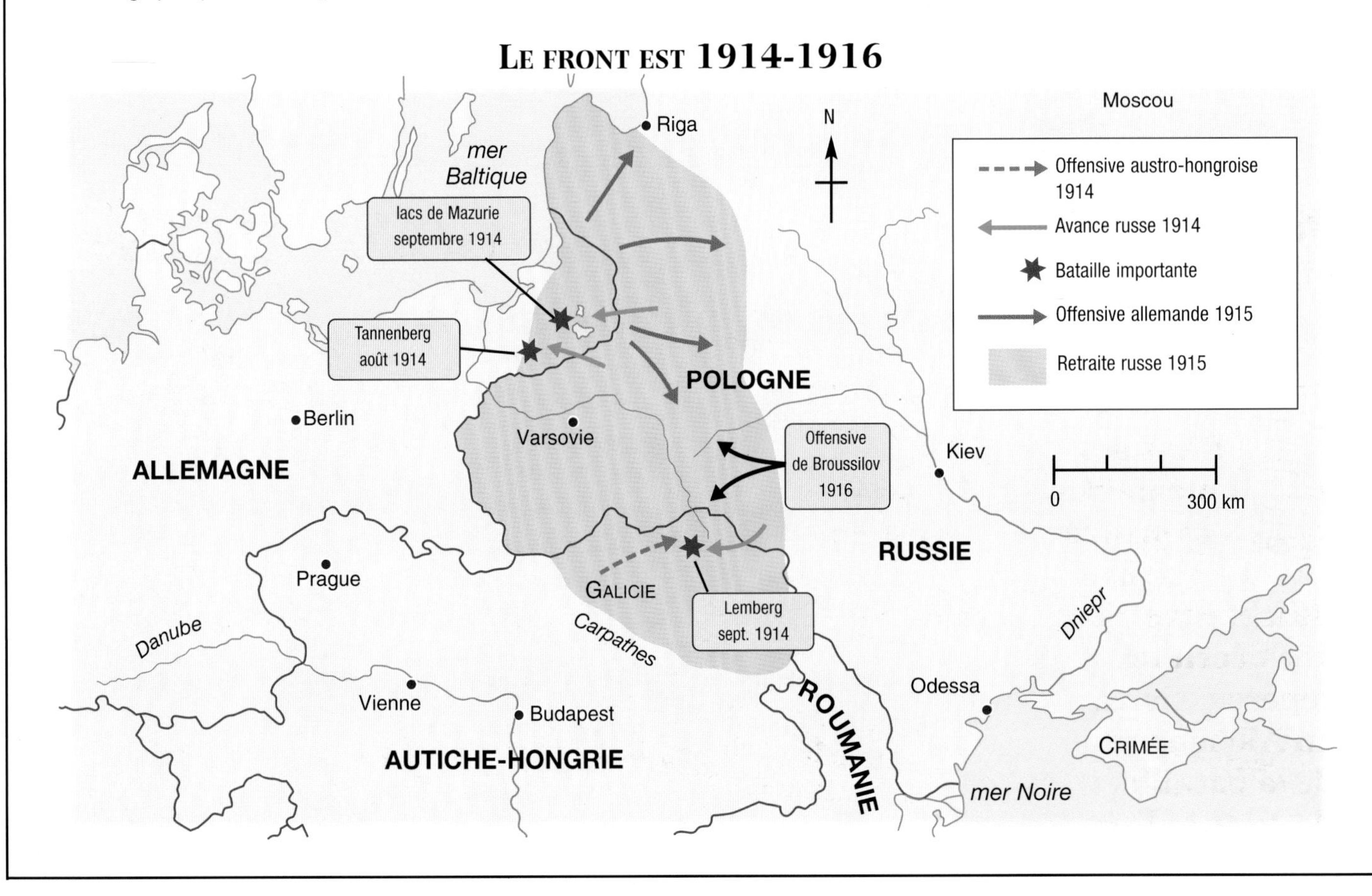

Les troupes allemandes dans un village, pendant la bataille de Tannenberg. L'artillerie a détruit plusieurs bâtiments de cette rue.

Environ 125 000 soldats russes périrent au cours de la deuxième semaine de septembre. Les survivants regagnèrent la Russie. Ces victoires furent très importantes pour les Allemands, mais elles les obligèrent à dégarnir le front ouest.

La princesse Evelyn Blücher.

Les offensives austro-hongroises

Les armées austo-hongroises participèrent elles aussi aux hostilités en 1914. Sur le front est, elles attaquèrent les Russes plus au sud, en Galicie. Elles remportèrent quelques victoires mais, entre le 8 et 12 septembre, les troupes russes commandées par Alexeï Broussilov leur infligèrent une sévère défaite à Lemberg. Les Austro-Hongrois envahirent la Serbie le 12 août. Ils occupèrent la capitale - Belgrade - le 2 septembre, mais ils en furent chassés à la mi-décembre. Environ 200 000 soldats austro-hongrois périrent au cours des combats.

Dans ses mémoires, la princesse Evelyn Blücher (voir page 13) décrit les répercussions, en Allemagne, de la bataille de Tannenberg.

La **postérité** signifie les générations futures.

Berlin, le 14 octobre 1914. La victoire de Tannenberg passera à la **postérité** comme l'une des plus formidables des temps modernes. Certaines des horreurs qui s'y sont déroulées sont si effroyables qu'un témoin, un officier qui en revient, dit qu'elles hanteront ses rêves jusqu'à la mort. La vision de milliers de Russes poussés dans deux grands lacs ou dans des marécages pour les noyer était effroyable et il n'oubliera jamais les cris des hommes en train de mourir.

AN ENGLISH WIFE IN BERLIN

A PRIVATE MEMOIR OF EVENTS, POLITICS, AND DAILY LIFE IN GERMANY THROUGHOUT THE WAR AND THE SOCIAL REVOLUTION OF 1918

BY

EVELYN, PRINCESS BLÜCHER

NINTH IMPRESSION

LONDON
CONSTABLE AND COMPANY LTD.
1921

LA « COURSE À LA MER »

Après la bataille de la Marne, faute de pouvoir enfoncer le front, les deux adversaires essayèrent de se déborder par l'ouest. Ils se lancèrent alors dans une « course à la mer ».

Comme son nom le suggère, cette course fut un mouvement de troupes vers la Manche, bien que les villes portuaires ne soient pas leurs objectifs principaux. Chacun des deux camps voulait en fait dépasser l'ennemi pour le prendre à revers et l'encercler.

Après la retraite de la Marne, Helmut von Moltke fut remplacé par Erich von Falkenhayn. Ce brillant général déclencha le premier les mouvements de l'armée allemande vers la mer. Il restait alors en Belgique de nombreux soldats allemands qui se battaient pour prendre la ville d'Anvers. Quand la ville tomba le 10 octobre, certains se dirigèrent vers l'ouest pour rejoindre les troupes en marche vers la côte.

Les troupes françaises, commandées par Joffre, et le corps expéditionnaire britannique, commandé par French, suivirent rapidement les Allemands. Les deux adversaires ne purent se déborder, mais ils se livrèrent de furieux combats pendant la « mêlée des Flandres ». Le plus important fut celui d'Ypres qui commença le 12 octobre et dura plus d'un mois. Les Allemands envoyèrent un renfort de 100 000 hommes mal entraînés, et les Alliés gardèrent la ville.

Ce ne fut cependant pas un triomphe. French se montra faible et hésitant. Les pertes humaines furent considérables dans les deux camps ; elles n'aboutirent qu'à l'impasse. Environ 50 000 Britanniques et 250 000 Français furent tués ou blessés au cours de la bataille.

Ypres marqua un tournant. Les états-majors voulurent à tout prix conserver les positions acquises, et la guerre de mouvement prit fin. Elle fut remplacée par une guerre d'usure statique visant à épuiser l'ennemi. Les troupes s'enterrèrent dans des tranchées. Les premières furent creusées par les Allemands sur les rives de l'Aisne. Après Ypres, une ligne de tranchées de 644 km s'étendit de la mer du Nord à la Suisse.

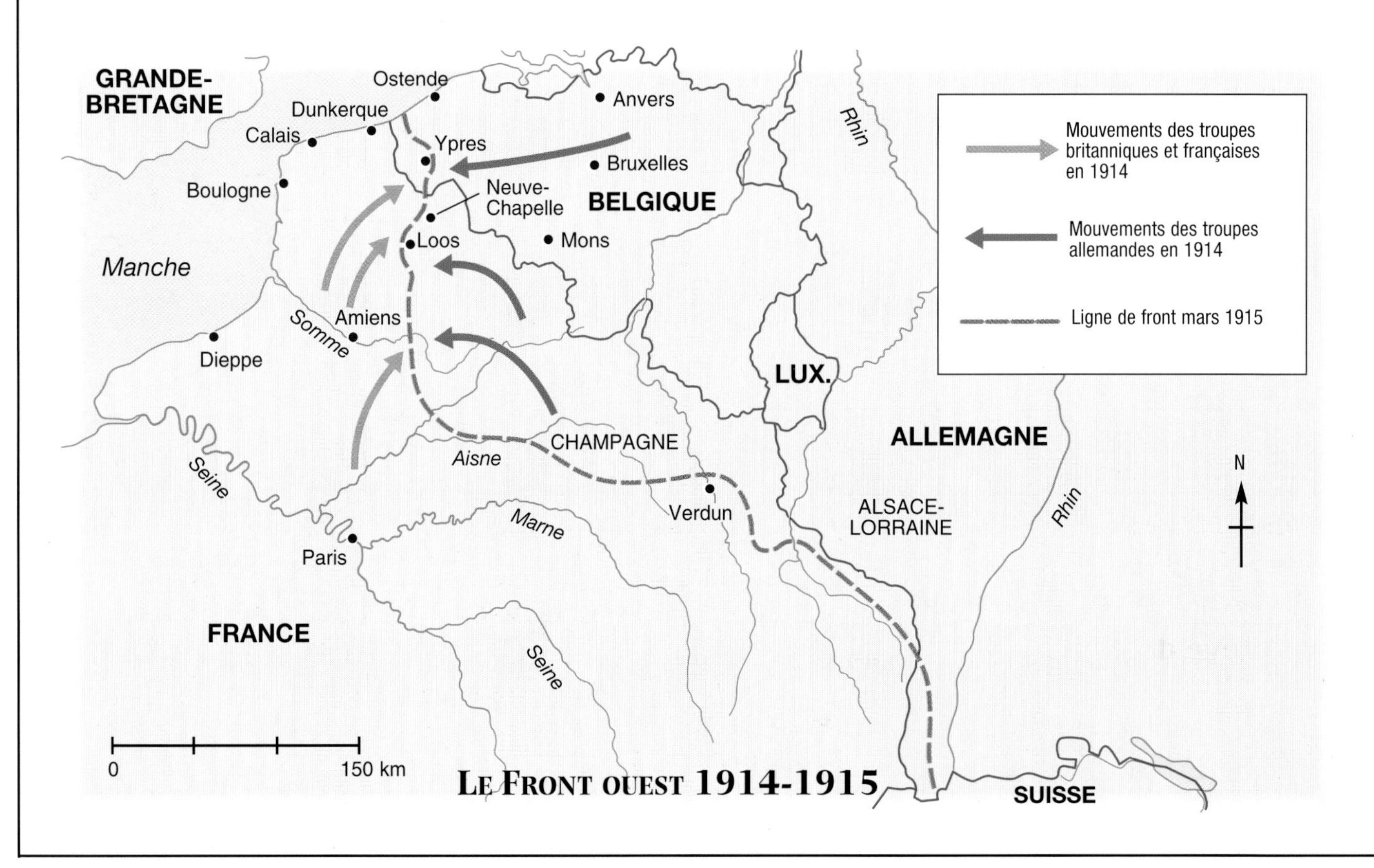

LE FRONT OUEST 1914-1915

Trêves dans les tranchées

Quand la guerre éclata, les soldats allemands reçurent l'assurance qu'elle serait achevée en moins de 6 semaines. Les Alliés comptaient remporter la victoire avant Noël. Mais en décembre, les soldats des deux camps vivaient dans des tranchées. Ils avaient souvent appris à respecter le courage de leurs ennemis. Le 24 décembre 1914, des soldats allemands, français et britanniques chantèrent des chants de Noël, souhaitèrent une joyeuse fête à leurs ennemis et parfois même se rencontrèrent. Mais les officiers mirent vite fin à ces trêves. En janvier 1915, les troupes étaient de nouveau prêtes à combattre.

Des soldats allemands et britanniques fraternisant en Belgique le jour de Noël 1914.

Lord Kitchener fut le ministre britannique de la Guerre à partir de 1914. Il estima que l'armée ne disposait pas d'assez de soldats et recruta donc des centaines de milliers de volontaires. Dans cette lettre du 3 décembre 1914, le capitaine Balfour explique ce qu'il pense de cette décision.

La nouvelle campagne va être menée et gagnée par une grande armée moins entraînée, dans laquelle vous devez prendre ce que vous pouvez et ne pas vous moquer des autres parce qu'ils appartiennent à une certaine classe ou qu'ils se rendent ridicules. Mais si la bonne vieille armée veut demeurer le pilier du système, elle doit accepter de se laisser absorber dans un ensemble moins efficace.

Sur cette affiche de recrutement de l'armée britannique, Lord Kitchener, ministre de la Guerre, interpelle l'homme de la rue : « Votre pays a besoin de vous ! ». Les drapeaux sont ceux des Alliés de 1914 (Belgique, Russie, Royaume-Uni, France et Japon).

Dans ce passage, un lieutenant allemand nommé Johannes Niemann décrit les événements qui se déroulèrent pendant une trêve de Noël 1914.

Une **casemate** était un abri creusé dans les murs ou le sol des tranchées.

Le lendemain matin... mon aide de camp se jeta dans ma **casemate** pour me dire que les soldats écossais et allemands étaient sortis des tranchées... J'attrapai mes jumelles et... vis l'incroyable spectacle de nos soldats échangeant des cigarettes, du **schnaps** et du chocolat avec l'ennemi. Plus tard, ils organisèrent un vrai match de football.

Le **schnaps** est un alcool fort très apprécié par les Allemands.

Les tranchées

Sur le front ouest, les soldats se protégèrent des tirs ennemis en creusant des tranchées. Au début, ce n'étaient que de longs fossés boueux. Mais, pendant la guerre de position, les soldats creusèrent des systèmes complexes de tranchées.

Les premières tranchées mesuraient souvent moins de deux mètres de profondeur et n'étaient pas étayées. La terre était rejetée en avant pour former le parapet et en arrière pour constituer le parados. Ces remparts étaient renforcés à l'aide de sacs de sable. Des caillebotis garnissaient le fond des fossés et des étais de bois maintenaient les parois. Certaines tranchées étaient plus profondes et des rouleaux de fil barbelé étaient placés devant pour décourager les attaques ennemies.

Les simples tranchées finirent par donner naissance à des réseaux organisés. Leur tracé dépendait de la nationalité de l'armée et de la nature du champ de bataille, mais ils avaient de nombreux points communs (voir plan page 19). La zone de tranchées les plus proches de l'ennemi était la ligne de front. La première tranchée, la tranchée de tir, avait un tracé en zigzag afin de limiter les dégâts en cas d'explosion d'obus. Une tranchée de couverture, creusée à une trentaine de mètres, abritait des soldats prêts à défendre la tranchée de tir en cas de percée ennemie.

À une soixantaine de mètres ou plus, les tranchées de renfort abritaient d'autres soldats qui attendaient de passer à l'action. Les Britanniques et les Allemands avaient souvent des renforts dans des tranchées de réserve encore plus éloignées - jusqu'à une vingtaine de kilomètres - de la ligne de front.

Les tranchées de défense étaient coupées à angle droit par des boyaux de communication dans lesquels transitaient les relèves et qui les reliaient à l'arrière avec les postes de commandement, les infirmeries et les cuisines installés dans les tranchées de renfort et de réserve. Les sapes, à l'avant de ce système de tranchées, étaient des boyaux creusés vers les lignes ennemies. Elles étaient utilisées comme postes d'écoute dans lesquels les soldats espionnaient l'activité ennemie. Les lignes ennemies étaient distantes de 70 à 700 m. Cette bande de terrain était le « *no man's land* » où périrent des centaines de milliers de soldats.

De soldats britanniques dans une tranchée. On voit les sacs de sable, les étais de bois soutenant les murs et les caillebotis au fond.

Les postes d'observation

L'artillerie - les canons lourds - n'était pas installée dans les tranchées, mais derrière les lignes. Les artilleurs devaient connaître la position exacte de leur cible afin de ne pas gaspiller les munitions et d'éviter de toucher leurs propres lignes. Ils installaient donc des postes d'observation en première ligne et transmettaient des informations à l'aide de téléphones de campagne (voir page 43).

George Coppard partit à la guerre à 16 ans. Il était simple soldat et devint mitrailleur. Il publia en 1969 ses souvenirs de guerre intitulés *With a machine gun to Cambrai*.

Le **pied** est une unité de mesure britannique valant environ 30 cm.

Les tranchées du Touquet étaient en très bon état et ressemblaient parfois presque à des modèles d'exposition. Elles faisaient environ six **pieds** de profondeur, le sol était couvert de caillebotis et elles étaient assez larges pour laisser le passage à deux hommes. Tout au long des tranchées, des **banquettes de tir**, d'une trentaine de centimètres de hauteur, permettaient aux soldats d'avoir une bonne position de tir en cas d'attaque. Les rares casemates offraient à peine plus de protection que les **cratères d'obus**. La plupart d'entre elles n'étaient que des trous creusés dans le fond des tranchées.

Une **banquette de tir** était une plate-forme au fond de la tranchée, sur le devant, qui surélevait le soldat afin qu'il voie les lignes ennemies.

Les soldats bloqués dans le ***no man's land*** se cachaient souvent dans des **cratères d'obus**.

Les conditions de vie dans les tranchées de réserve et de renfort étaient meilleures qu'en première ligne, en particulier pour les officiers. Dans son autobiographie *Goodbye to All That* (1929), Robert Graves décrit une casemate d'officier.

Au quartier général, une casemate dans la tranchée de réserve, à 400 m environ de la première ligne, le colonel nous serra la main et nous tendit une bouteille de whisky... cette casemate était exceptionnellement confortable : il y avait une jolie lampe, une nappe propre et de l'argenterie sur la table... Les murs étaient décorés d'images ; les lits avaient des matelas à ressorts et il y avait un Gramophone et des fauteuils. Il nous fut difficile de réconcilier cela avec les récits que nous avions lus sur les soldats enfoncés dans la boue jusqu'à la taille et grignotant des biscuits au milieu d'explosions d'obus.

Ce shéma représente un système de tranchées, vu de dessus, caractéristique de la Première Guerre mondiale.

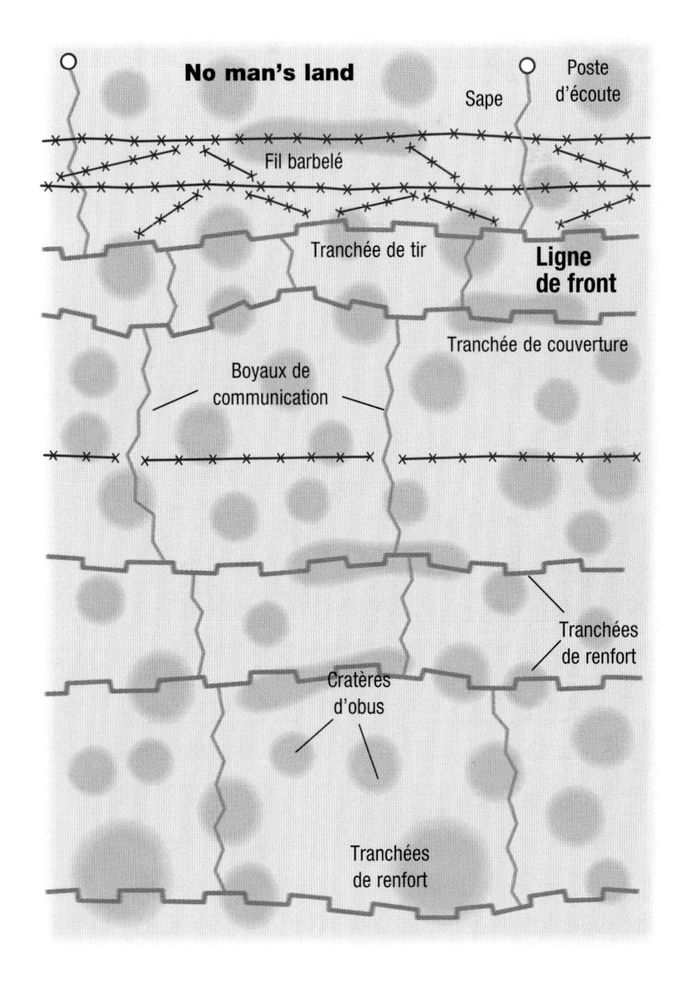

LA VIE DANS LES TRANCHÉES

Sur le front, la vie des soldats oscillait entre la monotonie de la routine quotidienne et l'horreur des combats. Mais leurs terribles conditions de vie étaient une constante.

En théorie, les soldats ne restaient en première ligne que pendant une semaine, puis allaient se reposer dans les tranchées de renfort ou de réserve. Cependant, les relèves n'arrivaient pas toujours et ils devaient parfois rester sur le front pendant deux ou trois semaines. Après un certain temps dans les tranchées, les soldats gagnaient des cantonnements à l'arrière des lignes où ils se divertissaient avec les moyens du bord. Sur le front, les journées suivaient toujours une même routine. Les soldats se levaient avant l'aube, car c'était le moment où les offensives étaient lancées. Puis, ils se préparaient à une éventuelle attaque, tandis que des sentinelles surveillaient le *no man's land*. Après leur petit déjeuner, les soldats accomplissaient diverses tâches. Certains réparaient les dégâts causés par les obus. D'autres allaient chercher le courrier, la nourriture et les munitions dans les tranchées de réserve. Tous nettoyaient leurs armes et écrivaient à leur famille quand ils le pouvaient. Des sentinelles faisaient toujours le guet à l'aide de périscopes.

La nuit, des patrouilles repéraient les lignes de fil barbelé ou allaient espionner l'ennemi dans les postes d'écoute. Des commandos lançaient des attaques surprises sur les lignes ennemies. Les autres essayaient de dormir dans les casemates étroites et humides.

Les tireurs embusqués étaient une menace permanente. Avant le début d'une offensive, l'artillerie bombardait les tranchées et faisait de nombreuses victimes. Les soldats devaient sortir des tranchées sous le feu des mitrailleuses et des canons. Pour « nettoyer » les tranchées adverses, ils utilisaient des grenades, leur fusil, la baïonnette et des couteaux. De nouvelles armes telles que les gaz et les chars vinrent s'ajouter à cet arsenal.

Pour supporter l'horreur de leur situation, les soldats nouaient de solides amitiés, se racontaient des blagues, chantaient et trouvaient parfois refuge dans la religion. De nombreux combattants se sentaient proches des soldats ennemis qu'ils considéraient comme les victimes d'une guerre commandée au loin par les officiers et les politiciens.

Un soldat surveille les lignes ennemies grâce à un périscope. Ces instruments sauvèrent de nombreuses vies, car ils permettaient d'observer sans s'exposer aux balles des tireurs embusqués.

L'hygiène dans les tranchées

La vie dans les tranchées était pénible, dans la boue gluante et sans hygiène. Le manque d'eau pour la toilette et la saleté des latrines provoquaient des maladies. Les soldats qui ne pouvaient se raser reçurent en France le surnom de « poilus ». Les tranchées étaient infestées par les rats qui volaient la nourriture. Ces rongeurs étaient aussi porteurs de poux qui s'accrochaient aux cheveux, à la peau et aux vêtements. Leurs morsures provoquaient des maladies telle la fièvre des tranchées. Les soldats passaient des heures à s'épouiller.

Cette photographie prise dans une cuisine souterraine, dans une tranchée du front ouest, montre l'absence d'hygiène dans laquelle les soldats étaient forcés de vivre.

George Coppard (voir page 19) raconte comment l'un de ses amis fut victime d'un tireur embusqué.

Trompé par le calme, un soldat imprudent laissait parfois sa tête dépasser au-dessus du parapet. Il s'effondrait alors dans la tranchée, comme une marionnette dont on aurait coupé les fils...
Un tireur **boche** embusqué, armé d'un **fusil à lunette**, avait surveillé patiemment, pendant des heures peut-être, notre parapet...C'est comme ça qu'un de mes amis, Bill Bailey, est mort... Il était tôt le matin et l'**état d'alerte** était terminé. Le feu brûlait bien et le bacon grésillait. J'étais assis sur la banquette de tir et juste au moment où j'allais me servir, Bill s'est écroulé...

George Coppard en 1980.

Boche était un qualificatif injurieux désignant les Allemands.

Un **fusil à lunette** est un fusil équipé d'une lunette d'approche qui permet au tireur de mieux voir sa cible.

L'état d'alerte obligeait les soldats à tenir leur position sur la banquette de tir, prêt à tirer.

Dans cet extrait, Henri Desagneaux (voir page 13) évoque la saleté et la vermine qui ajoutaient encore à l'horreur des combats.

Nous vivons dans la terre, nos vêtements sont recouverts d'une épaisse couche de fange, nous avons des démangeaisons partout, dans nos chaussures, dans nos pantalons, sous nos chemises, nous ne pouvons pas dormir cinq minutes. Même si les fusils se taisent, la vermine continue à ramper. Dieu que nous sommes sales ! Quinze jours que **je ne me suis pas rasé** et je n'ai pas enlevé mes chaussures ni changé de sous-vêtements depuis dix-huit jours.

Quand l'eau était rare, les soldats ne pouvaient pas l'utiliser pour se raser.

1915

GALLIPOLI

En 1915, le conflit se mondialisa. De nouveaux pays entrèrent dans le conflit et les combats s'étendirent au-delà des fronts est et ouest. Les Alliés commencèrent l'année par une opération désastreuse contre la Turquie.

L'Empire ottoman, vieux de six siècles, était sur le déclin. En octobre 1914, les Empires centraux l'accueillirent cependant comme allié. En 1915, Winston Churchill proposa d'attaquer la Turquie. Il pensait que la guerre ne pouvait se gagner dans les tranchées d'Europe de l'Ouest, mais que l'Allemagne pouvait être vaincue en écrasant son allié le plus faible. Il fallait aussi tendre la main aux Russes, que les Turcs avaient attaqués dès le début de la guerre.

Les plans de Churchill rencontrèrent une forte opposition. Mais Lord Kitchener (voir page 17) décida malgré tout de lancer l'offensive. L'objectif était de s'emparer de Constantinople, la capitale de la Turquie. Les marines britanniques et françaises tentèrent de prendre le contrôle du détroit des Dardanelles qui relie la mer Égée à la mer de Marmara. Le plan de bataille prévoyait de détruire les forts de la péninsule de Gallipoli qui forme la côte nord du détroit.

L'EXPÉDITION DES DARDANELLES

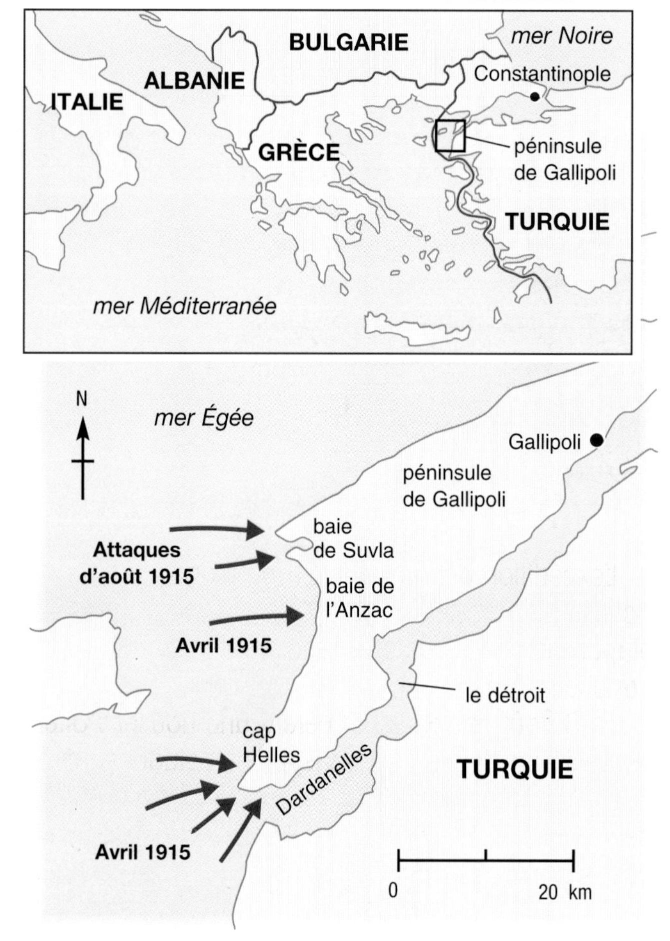

Le pilonnage de la péninsule commença le 19 février 1915. Les artilleurs turcs défendaient le détroit, empêchant son déminage. Le 18 mars, les Alliés tentèrent de forcer le passage, mais les mines détruisirent trois navires et en endommagèrent trois autres. Le vice-amiral John de Robeck, en charge de l'expédition, décida alors de faire appel aux forces de l'armée de terre.

Environ 75 000 soldats furent envoyés à Gallipoli : des Français, des Britanniques, mais aussi des Australiens et des Néo-Zélandais (Anzac : *Australian and New-Zealand Army Corps).* Aucun d'entre eux n'avait une expérience des combats. L'opération était dirigée par le général Ian Hamilton qui avait une connaissance limitée de la Turquie.

Le général Ian Hamilton (au premier rang à gauche) quitte dignement Gallipoli. Il n'avait connu jusqu'alors que des succès militaires. Après l'expédition des Dardanelles, il n'occupa plus jamais de poste important.

Ce tableau représente le débarquement dans la baie de l'Anzac en avril 1915. Les Turcs bombardent les Alliés qui grimpent à l'assaut de la côte.

L'expédition débarqua le 25 avril dans la baie de l'Anzac et au cap Helles. Les Turcs avaient renforcé leurs défenses et résistèrent à la plupart des attaques alliées, ce qui entraîna une nouvelle guerre de tranchées.

Le 6 août, les Alliés lancèrent une nouvelle offensive dans la baie de Suvla qui échoua elle aussi. Les soldats souffrirent énormément de la chaleur accablante. Finalement, le 7 décembre, les Alliés décidèrent de se retirer. L'évacuation s'acheva le 9 janvier 1916. Cette expédition désastreuse coûta la vie à 46 000 soldats alliés.

Le front de Salonique

En septembre 1915, la Bulgarie, un voisin de la Serbie, rejoignit les Empires centraux. Elle espérait recevoir une partie de la Serbie en cas de victoire. En octobre, la Grande-Bretagne et la France envoyèrent des troupes à Salonique, dans le Nord de la Grèce qui avait des frontières avec la Serbie et la Bulgarie. Les Alliés ne parvinrent pas à empêcher une invasion bulgare de la Serbie, mais des milliers de soldats furent quand même immobilisés dans la région. Ils y restèrent jusqu'à la fin de la guerre et furent appelés « l'armée oubliée ».

En tant que membres de l'Empire britannique, la Nouvelle-Zélande et l'Australie furent bientôt entraînées dans la guerre. L'incompétence des Britanniques et le courage de l'Anzac marquèrent un tournant à partir duquel les deux pays se sentirent indépendants de la Grande-Bretagne. Dans une lettre qu'il adressa au Premier ministre australien Andrew Fisher, le journaliste australien Keith Murdoch exprime son opinion sur l'expédition.

Le plan désastreux de **Hamilton** et ses autres échecs le poussèrent à démissionner en octobre 1915.

J'ai visité la plupart des positions de la baie de l'Anzac et de la baie de Suvla, j'ai parcouru de nombreux kilomètres dans les tranchées, j'ai parlé avec les chefs, avec tous les officiers et sous-officiers que j'ai pu rencontrer et tous m'ont accordé une confiance totale… La situation était toujours désespérée après le début du mois de mai, et personne ne comprend pourquoi **Hamilton** s'est entêté… Une forte percée de l'Anzac n'aurait jamais dû être envisagée. C'est un terrain accidenté, broussailleux, plein de ravins et à portée de tir des forts turcs du détroit…

LES FRONTS EUROPÉENS

La guerre sur le front ouest se poursuivit en 1915, mais elle manquait de cohérence après les échecs des premiers plans. La coopération entre le général français Joffre et le Britannique French fut souvent forcée et inefficace. Sur le front est, les Allemands progressèrent rapidement en Pologne, contrôlée par les Russes.

Le 10 mars, les Britanniques attaquèrent les Allemands à Neuve-Chapelle, en France. Les bombardements précédant l'attaque furent de courte durée à cause du manque de munitions. Les Allemands furent surpris et les Britanniques s'emparèrent du village. Mais le retard des renforts permit aux Allemands de contre-attaquer. La bataille prit fin le 12 mars. Cet enchaînement de succès et d'échecs se reproduisit de nombreuses fois.

Deux soldats britanniques équipés de masques à gaz de fortune montrent comment utiliser un pulvérisateur Vermorel. Ces pulvérisateurs contenaient une substance capable de neutraliser le chlore, un gaz de combat utilisé par les Allemands en 1915.

John French.

Le 22 avril, les Allemands lancèrent une offensive à Ypres, où ils utilisèrent pour la première fois un gaz de combat qui fit de nombreuses victimes. Les résultats furent terrifiants. Mais les Allemands finirent par perdre la bataille qui s'acheva le 25 mai.

Le 25 septembre, les Français lancèrent une grande offensive en Champagne. Ils brisèrent la ligne de front allemande, mais ne vinrent pas à bout des défenses de la deuxième ligne. Ils se replièrent le 6 octobre. Plus au nord, les Britanniques s'emparèrent de Loos. Une fois encore, ils ne purent mettre à profit cette victoire, car leurs renforts étaient trop éloignés. John French continua inutilement la bataille et sacrifia des milliers de vies. Il fut remplacé en décembre par le général Douglas Haig.

Les Allemands avaient été consternés par la victoire de la Russie sur l'Autriche-Hongrie à Lemberg en 1914 (voir page 15). Ils décidèrent donc d'aider leur alliée à lancer une contre-offensive contre les Russes en Pologne. Le 2 mai 1915, le général August von Mackensen envahit la Galicie et Paul von Hindenburg attaqua plus au nord. En novembre 1915, les Russes avaient reculé de près de 500 km et perdu la plus grande partie de la Pologne. Le tsar Nicolas II et le peuple russe se sentirent profondément humiliés, mais ils étaient déterminés à continuer à se battre.

Le front italien

Comme les Empires centraux, les Alliés eurent de nouveaux soutiens en 1915. Le plus important fut l'Italie qui, avant la guerre, avait formé la Triple-Alliance avec l'Allemagne et l'Autriche-Hongrie (voir page 8). Quand la guerre éclata, elle resta neutre. Les deux camps tentèrent alors de gagner l'alliance de l'Italie en lui promettant une partie du territoire austro-hongrois après la fin de la guerre. Les Alliés furent les plus généreux et, le 23 mai 1915, l'Italie déclara la guerre à l'Autriche-Hongrie. Les combats sur le front italien furent violents et longs.

Des soldats italiens se battent dans les Alpes en 1916.

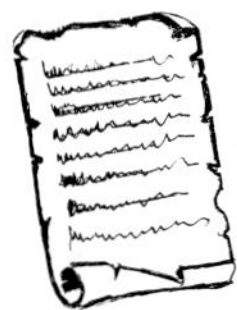

Cette description du champ de bataille d'Ypres après les combats est extraite des mémoires d'un soldat allemand, Rudolf Binding (*Un fataliste à la guerre* - 1929).

Les effets de ce gaz de combat efficace étaient horribles. Je n'aime pas l'idée d'empoisonner des hommes. Bien sûr, le monde entier va d'abord s'indigner, puis il nous imitera. Tous les morts sont étendus sur le dos, les poings serrés ; tout est **jaune**... Le champ de bataille est effrayant. On est submergé par l'odeur particulière, aigre, lourde et pénétrante des cadavres. On monte sur un pont de planches et on s'aperçoit qu'il n'est soutenu en son milieu que par le cadavre d'un cheval mort depuis longtemps. La moitié des hommes qui furent tués en **octobre** sont étendus dans les marécages et l'autre dans les champs de betteraves aux fleurs jaunes.

Le chlore est un gaz jaune verdâtre.

La première bataille d'Ypres eut lieu en octobre 1914.

Une photographie aérienne d'une attaque allemande au gaz en 1915.

La guerre navale

En 1914, la Grande-Bretagne dominait les mers depuis de nombreuses années et la marine royale *(Royal Navy)* était la fierté de la nation. La détermination de l'empereur Guillaume II à faire de la marine allemande l'égale de la marine britannique fut l'une des causes majeures du conflit.

L'amiral Alfred von Tirpitz commença à former la marine allemande à la fin du XIXe siècle. Peu après, l'amiral John Fisher entreprit la remise en état de la marine royale et commanda la construction d'un navire de guerre qui devait surpasser tous les autres. Lancé en 1906, le *Dreadnought* donna son nom à un type de cuirassé. Les Allemands construisirent bientôt des cuirassiers « Dreadnought » et, en 1914, ils en disposaient de treize. Mais les Anglais conservaient leur suprématie avec vingt-quatre.

Avant le déclenchement des hostilités, une grande partie de la marine britannique se rendit au large de l'île de Scapa Flow, dans les Orcades, pour prendre le contrôle de la mer du Nord. À la fin de l'année 1914, des navires allemands pilonnèrent des villes de la côte orientale de la Grande-Bretagne. Mais, chassés par des croiseurs anglais, ils retournèrent dans leurs ports et y restèrent jusqu'à la bataille du Jütland (voir page 27).

Empêcher la flotte allemande de quitter les ports faisait partie d'un blocus naval à plus grande échelle. La marine royale inspectait tous les navires des pays neutres et saisissaient les marchandises destinées à l'Allemagne. Les Allemands connurent de graves pénuries et durent instaurer des rationnements. En février 1915, ils contre-attaquèrent en déclenchant une guerre sous-marine.

Les sous-marins allemands, les *U-boot*, devaient imposer un contre-blocus. Comme ils pouvaient difficilement arraisonner et fouiller les bateaux, ils coulèrent les navires ennemis sans avertissement. Quand un sous-marin torpilla le *Lusitania*, un paquebot britannique, le 7 mai 1915, 128 passagers américains périrent. Cela provoqua une vive réaction aux États-Unis et le président Woodrow Wilson menaça d'entrer en guerre.

Les Allemands ne pouvaient pas prendre le risque de voir les Américains rejoindre les Alliés. Ils savaient aussi qu'avec seulement 22 sous-marins, ils ne pouvaient imposer un contre-blocus efficace. Ils changèrent donc de stratégie. Les *U-boot* firent surface pour inspecter les navires dans la zone de blocus et saisirent les cargaisons quand ils le jugèrent nécessaire. Mais en 1917, ils changèrent de nouveau de méthode (voir pages 40-41).

Sur cette photographie prise en 1916, on peut voir des soldats allemands sur un *U-boot* qui a fait surface. En 1917, la campagne sous-marine prit une ampleur dramatique (voir page 40).

Au cours de la Première Guerre mondiale, Martin Niemöller servit dans les *U-boot*. Il devint plus tard pasteur, s'opposa à Hitler et passa la Seconde Guerre mondiale dans un camp de concentration. Cette description d'une attaque de sous-marin, au printemps 1916, est extraite de son autobiographie parue en 1939.

La bataille du Jütland

Les cuirassés « Dreadnought » s'affrontèrent au cours d'un grand choc naval déclenché par l'amiral Reinhard Scheer. Le 31 mai 1916, Scheer envoya des croiseurs au large des côtes du Jütland, une péninsule danoise. Il espérait que les Britanniques réagiraient en envoyant des navires de la même taille. Les cuirassés allemands devaient alors intervenir et détruire les navires anglais. La marine britannique, ayant eu vent des plans de Scheer, envoya des croiseurs, comme Sheer s'y attendait, mais aussi des cuirassés. Après une bataille indécise de six heures, les cuirassés allemands regagnèrent leurs ports et ne tentèrent plus de livrer bataille sur mer.

Le pont des ***U-boot*** était équipé de canons.

L'***Inverlyon*** était le nom du navire arrêté par le sous-marin.

L'après-midi du 11 (avril), nous nous approchâmes d'un gros navire qui avait arrêté ses machines à notre coup de semonce. L'équipage sauta dans les canots de sauvetage tandis que nous essayâmes de couler le navire à coups de **canons**. C'était difficile, car les vagues balayaient le pont et le matelot Pehrson fut emporté. Toutes les tentatives de le repêcher… échouèrent… Quand nous coulâmes enfin l'**Inverlyon**, personne ne put se réjouir de ce premier succès.

Le gouvernement allemand fit publier cet avertissement dans le *New York World* le 1er mai 1915, le jour où le *Lusitania* quitta les États-Unis. Peu de passagers croyaient que les Allemands attaqueraient un paquebot. Six jours plus tard, 1200 personnes périrent dans le naufrage.

Le naufrage du Lusitania.

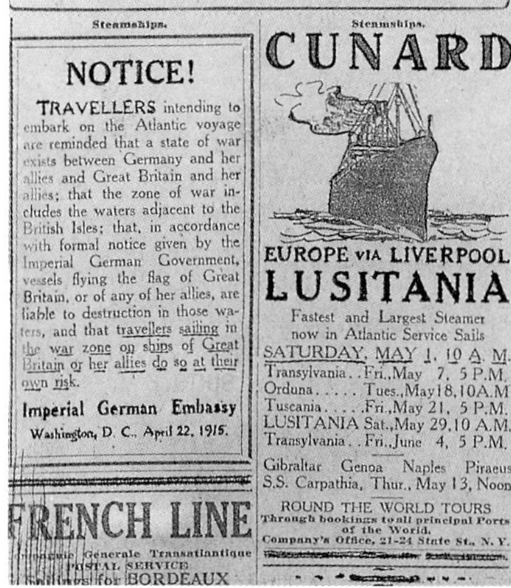

TRAVEL AND TRANSPORTATION

Steamships.

NOTICE!

TRAVELLERS intending to embark on the Atlantic voyage are reminded that a state of war exists between Germany and her allies and Great Britain and her allies; that the zone of war includes the waters adjacent to the British Isles; that, in accordance with formal notice given by the Imperial German Government, vessels flying the flag of Great Britain, or of any of her allies, are liable to destruction in those waters, and that travellers sailing in the war zone on ships of Great Britain or her allies do so at their own risk.

Imperial German Embassy
Washington, D. C., April 22, 1915.

FRENCH LINE

Compagnie Generale Transatlantique
POSTAL SERVICE
Sailings for BORDEAUX

Steamships.

CUNARD

EUROPE VIA LIVERPOOL
LUSITANIA

Fastest and Largest Steamer now in Atlantic Service Sails
SATURDAY, MAY 1, 10 A. M.
Transylvania . . Fri., May 7, 5 P.M.
Orduna . . . . . Tues., May 18, 10 A.M.
Tuscania . . . . Fri., May 21, 5 P.M.
LUSITANIA Sat., May 29, 10 A.M.
Transylvania . . Fri., June 4, 5 P.M.

Gibraltar Genoa Naples Piraeus
S.S. Carpathia, Thur., May 13, Noon

ROUND THE WORLD TOURS
Through bookings to all principal Ports of the World.
Company's Office, 21-24 State St., N. Y.

Il est rappelé aux voyageurs ayant l'intention de traverser l'Atlantique que l'Allemagne et ses alliés sont en guerre ; que la zone des combats comprend les eaux baignant les Îles britanniques ; qu'en accord avec l'avertissement officiel lancé par le gouvernement allemand, les navires battant le pavillon de la Grande-Bretagne ou de l'un de ses alliés sont susceptibles d'être détruits dans ces eaux et que les voyageurs qui pénètrent dans la zone de combats sur un navire britannique ou allié le font à leurs risques et périls.

L'ARRIÈRE

La Première Guerre mondiale bouleversa la vie des civils qui durent s'adapter. Ils luttèrent pour la victoire, non sur les fronts, mais à l'arrière.

En Grande-Bretagne, la vie civile fut en grande partie réglementée par la loi de défense votée le 8 août 1914. Elle attribuait au gouvernement des pouvoirs exceptionnels, tels que celui de traduire en cour martiale toute personne menaçant la sécurité du pays et celui de réquisitionner des usines pour fabriquer des munitions. Cette loi fut étendue et finit par permettre au gouvernement de cultiver des terres privées, d'augmenter la durée du temps de travail, de censurer les journaux.

Des civils font la queue dans la cantine d'un quartier de Londres en 1917.

L'intervention du gouvernement ne fut pas la seule conséquence de la guerre sur la vie civile. Les femmes occupèrent de nombreuses fonctions jusqu'alors réservées aux hommes. Les impôts augmentèrent pour financer la guerre et la nourriture se fit rare. La pénurie s'aggrava en 1917 quand l'Allemagne décida d'intensifier la guerre sous-marine. Le rationnement fut introduit en 1918.

En France, les civils connaissaient des conditions de vie plus dures, car 12% du territoire était occupé ou utilisé comme champ de bataille. De plus, en raison de la conscription, presque tous les hommes âgés de 18 à 47 ans étaient sur le front. (La Grande-Bretagne n'instaura la conscription qu'en 1916). La pénurie de nourriture commença en 1917. Le rationnement, instauré en 1914, devint encore plus strict et les prix s'envolèrent.

En Allemagne, la conscription envoya des millions d'hommes dans les tranchées en 1914. Quand le gouvernement comprit que le conflit serait long, il fit participer la population civile à l'effort de guerre, en particulier dans les usines d'armement. En raison du blocus britannique (voir page 26), l'Allemagne souffrit du manque de nourriture presque

Une production de canons dans les usines Krupp, à Essen en Allemagne.

dès le début de la guerre. Le rationnement commença en 1915. Pendant l'hiver 1916, de nombreux Allemands souffrirent de la faim. Le travail obligatoire, la faim et les échecs militaires modifièrent l'état d'esprit à l'arrière, le faisant passer du patriotisme à une grande amertume (voir pages 54-55).

En Russie, le manque de nourriture, les conditions de travail dans les usines d'armement et les humiliations militaires provoquèrent une grande tension. Le tsar Nicolas II ne put faire face à ces problèmes, ce qui mena à la révolution et au retrait prématuré de la Russie de la guerre (voir pages 46-47).

La guerre totale

Jusqu'en 1914, les guerres se déroulaient sur les champs de bataille. La vie dans les pays en guerre, bien que modifiée, n'était pas totalement bouleversée. La Première Guerre mondiale fut différente. Les civils durent produire des armes sur une grande échelle. Les gouvernements prirent souvent le contrôle de la vie quotidienne. Les raids aériens portèrent le confit à l'arrière et presque toutes les familles connurent un deuil en raison des nombreux morts au combat. Le général allemand Erich Ludendorff parla aussi de « la guerre totale ».

Dans son autobiographie, Robert Graves (voir page 19) décrit les conséquences du rationnement sur son mariage.

Nancy et moi nous mariâmes en janvier 1918... À cette époque de la guerre, on ne pouvait avoir de sucre que sous forme de rations. Le gâteau de mariage était une pièce montée à trois étages et les Nicholson avaient économisé leurs **tickets** de sucre et de beurre pour qu'il ait le goût d'un vrai gâteau ; mais quand George Mallory souleva le faux glaçage en plâtre, les invités poussèrent un soupir de déception.

Le gouvernement distribuait des carnets de rationnement. Ils contenaient des **tickets** que les commerçants détachaient pour chaque achat. Ces tickets pouvaient aussi être utilisés dans les restaurants.

Des carnets de rationnement britanniques.

En Allemagne, la situation était plus grave qu'en Grande-Bretagne. Environ 750 000 Allemands moururent de faim pendant la guerre. La princesse Evelyn Blücher (voir page 13) évoque la famine sur le front intérieur allemand.

Krieblowitz, janvier 1917. Nous sommes chaque jour plus maigres et les formes arrondies de la nation allemande sont devenues une légende. Nous sommes tous décharnés et osseux, nos yeux sont cernés et nos pensées se concentrent essentiellement sur ce que sera notre prochain repas et sur toutes les bonnes choses qui existaient autrefois.

Des Allemands font la queue pour de la nourriture en 1915.

LES FEMMES EN GUERRE

Le Petit Journal

ADMINISTRATION

10 CENT. SUPPLEMENT ILLUSTRÉ 10 CENT.

ABONNEMENTS

Les manuscrits ne sont pas rendus

27me Année Numéro 1.353

DIMANCHE 26 NOVEMBRE 1916

L'OUVRIÈRE PARISIENNE

Avant la Guerre — Pendant la Guerre

La couverture de ce magazine de 1916 oppose les travaux délicats, ici celui de modiste, que les femmes occupaient avant 1914, aux travaux de l'industrie lourde dont elles se chargèrent pendant la guerre.

La vie des femmes fut bouleversée par la Première Guerre mondiale. Beaucoup occupèrent des métiers traditionnellement réservés aux hommes et certaines s'aventurèrent sur le front.

Avant la guerre, environ un quart des femmes avaient un emploi hors de chez elles. La majorité des autres restait au foyer. Mais, lorsque les hommes partirent se battre, les femmes occupèrent les postes abandonnés, d'imprimeur à contrôleur d'autobus. Elles exercèrent aussi des métiers créés pour répondre aux exigences de la guerre et travaillèrent dans les usines d'armement par exemple. Elles furent aussi nombreuses à prendre en charge les travaux d'agriculture pendant toute la guerre.

Des milliers de femmes britanniques partirent sur les fronts. Certaines étaient infirmières ou conductrices d'ambulance. D'autres s'engagèrent dans le *Voluntary Aid Detachment* (Détachement des secours volontaires) et remplirent de nombreuses fonctions, d'infirmière à la Croix-Rouge à cuisinière. En 1917, le gouvernement créa, dans les différents corps d'armée, des branches réservées aux femmes, mais elles ne participèrent pas aux combats.

Les femmes françaises travaillèrent dans des usines, dans l'agriculture et dans des bureaux. En 1915, 30 000 d'entre elles fabriquaient du matériel de guerre. En 1916, une loi interdit aux employeurs d'embaucher des hommes pour des emplois pouvant être occupés par des femmes. Une Commission du travail féminin fut créée pour

Pendant la guerre, les postes de contrôleurs d'autobus étaient occupés par des femmes.

réglementer et surveiller les conditions de travail des femmes. Les Françaises occupèrent aussi les postes d'infirmières, à l'arrière et sur les champs de bataille.

L'Allemagne n'autorisa pas les femmes à aller sur le front. Mais elles occupèrent pratiquement tous les emplois, de la fabrication des munitions à la construction d'un métro souterrain à Berlin. Des garderies furent ouvertes pour s'occuper des enfants pendant que leurs mères travaillaient.

À la fin de la guerre, les femmes avaient acquis une nouvelle confiance en leurs possibilités. Elles exigèrent le droit de vote. Les Britanniques l'obtinrent en 1918 et les Allemandes en 1919, mais les Françaises durent attendre jusqu'en 1945. À la démobilisation, cependant, les hommes reprirent leurs emplois et des milliers de femmes durent abandonner leur vie professionnelle.

EDITH CAVELL

En 1914, Edith Cavell était directrice d'un hôpital de la Croix-Rouge à Bruxelles. Quand les Allemands envahirent la Belgique et occupèrent la ville, elle aida des soldats alliés à gagner la Hollande qui était neutre. Les Allemands l'arrêtèrent et la condamnèrent à mort. Avant d'être fusillée, en octobre 1915, elle déclara : « Dans l'attente de me retrouver devant Dieu, je réalise que le patriotisme n'est pas suffisant. Je ne dois avoir de haine ou de ressentiment pour personne. » Elle devint une héroïne nationale et modifia la vision du rôle des femmes pendant la guerre.

Edith Cavell dans le jardin de sa maison de Bruxelles en 1915.

Maria Botchkareva, surnommée Yashka, s'engagea dans l'armée russe en 1914. En 1917, elle créa le « Bataillon de la mort », exclusivement féminin. Dans sa biographie *Yashka : ma vie de paysanne, d'exilée et de soldat* (1919), elle décrit les premiers jours de l'unité.

Je conduisis les recrues chez quatre coiffeurs qui leur coupèrent les cheveux... Au cours du même après-midi, mes soldats commencèrent leur instruction... et l'entraînement se poursuivit sans arrêt. Il était strictement interdit de rire... Un jour, on me présenta **Mme Pankhurst** et j'ordonnai au bataillon de saluer notre éminente visiteuse qui avait tant fait pour les femmes et son pays. Mme Pankhurst rendit de fréquentes visites au bataillon et observa avec intérêt sa transformation en une unité militaire disciplinée.

Mme Emmeline Pankhurst dirigea la campagne en faveur du vote des femmes en Grande-Bretagne.

Maria Botchkareva.

1916

VERDUN

En 1916, les combats sur le front ouest atteignirent de nouveaux sommets dans l'horreur. La première grande offensive fut lancée par les Allemands contre les Français.

Erich von Falkenhayn (voir page 16) dressa les plans de cette attaque, dont le nom de code était Gericht, et qui visait à démoraliser l'armée française. Il choisit donc Verdun comme champ de bataille, car la capture de ses forts avait été un coup rude pour les Français pendant la guerre de 1870. Il pensait que si la France s'écroulait, la Grande-Bretagne ne continuerait pas la guerre seule et entamerait alors des négociations de paix.

Pendant ce temps, le chef de l'armée française, le général Joffre, préparait une attaque franco-britannique sur la Somme (voir pages 34-35). Ainsi, pendant que l'armée allemande lançait son offensive sur Verdun avec 140 000 soldats, les troupes françaises s'éloignaient. Malgré des avertissements, Joffre refusa de reconnaître l'importance de Verdun et de renforcer ses défenses.

Les tirs de l'artillerie allemande commencèrent le 21 février et furent dévastateurs. Au cours de leur avance, les soldats allemands utilisèrent un nouveau gaz de combat, le phosgène, et pour la première fois des lance-flammes. Le 25 février, ils s'emparèrent du fort de Douaumont.

Joffre fit alors appel au général Henri Philippe Pétain qui prit le contrôle de Verdun. Il entreprit de faire de ses troupes démoralisées une machine défensive. L'artillerie française se montra bientôt aussi efficace que l'artillerie allemande. Pétain améliora également la « voie sacrée », la seule route de ravitaillement menant à Verdun.

La détermination de Pétain était aussi forte que celle de von Falkenhayn. Les combats s'intensifièrent bientôt, hors de leur contrôle. Le 7 juin, les Allemands s'emparèrent du fort de Vaux, situé à 3 km de

LE FRONT OUEST 1916-1917

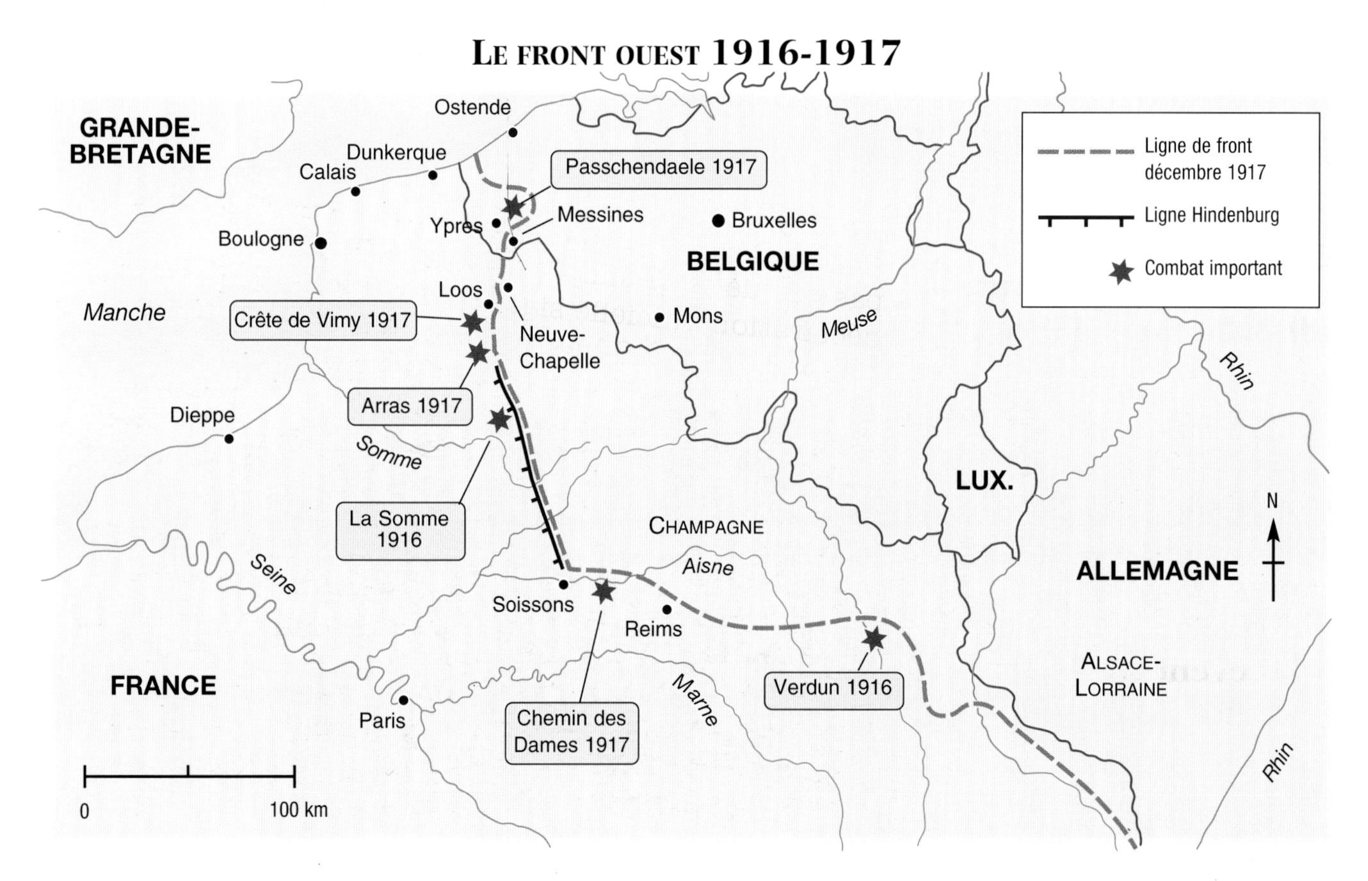

Une petite unité d'artillerie française à Verdun. Les canons à tir rapide tiraient de gros obus sur les lignes ennemies.

Verdun. Mais de nombreux soldats en route vers la ville durent partir en Russie (voir l'encadré). Peu après, les Britanniques attaquèrent sur la Somme, dispersant encore les forces allemandes. Von Falkenhayn avait manqué une opportunité.

Les combats continuèrent, mais avec moins d'intensité. Paul von Hindenburg remplaça von Falkenhayn en août. En octobre et novembre, les Français reconquirent les forts de Douaumont et de Vaux. Quand la bataille cessa en décembre, le front occupait presque la même position qu'avant l'offensive, mais il y avait près d'un million de morts et de blessés.

L'offensive de Broussilov

Les Russes prévoyaient de lancer une offensive coïncidant avec celle des Alliés sur la Somme, en juillet. Mais en juin, la France était en situation difficile à Verdun et l'Italie avait des problèmes sur sa frontière avec l'Autriche-Hongrie. Les deux pays demandèrent à la Russie de les soulager. Le 4 juin, le général Alexeï Broussilov lança donc une offensive contre l'armée autrichienne sur le front est. Les Autrichiens reculèrent, mais les Allemands vinrent à leur aide. La Roumanie entra en guerre en août aux côtés de la Russie. Mais elle fut rapidement vaincue par l'Allemagne. En septembre, la Russie s'était retirée en ayant perdu un million d'hommes.

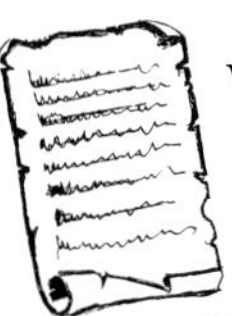

Verdun fut la plus longue bataille de la Première Guerre mondiale. Environ quarante millions d'obus furent tirés au cours des pilonnages incessants. Henri Desagneaux (voir page 13) occupa un commandement pendant deux semaines sur le front. Il décrit ici les événements du 17 juin.

« Nous avons repris une tranchée » : on n'imagine pas ce que cette simple phrase tirée d'une déclaration officielle signifie vraiment ! On prépare l'attaque de 4 à 9 heures ; tous les canons tirent en même temps. Les Allemands tirent sans arrêt, des dépôts de munitions explosent... Les blessés de l'attaque du matin commencent à arriver, nous apprenons ce qui s'est passé : notre artillerie a tiré trop court et pilonné notre tranchée de première ligne... Quand nous avons attaqué, les Allemands nous ont laissé approcher à quinze mètres puis nous ont pris sous le feu de leurs mitrailleuses. Nous avons réussi à nous emparer de plusieurs parties de la tranchée, mais nous n'avons pas pu les conserver... À la tombée de la nuit, les morts arrivent au cimetière sur des brancards...

La Somme

En juillet 1916, lors de l'offensive de la Somme, la France était en situation très difficile à Verdun. Elle ne put envoyer les 40 divisions prévues et n'en fournit que 5. La Grande-Bretagne en engagea 14. Le général Douglas Haig était persuadé qu'une attaque à outrance permettrait de briser définitivement la résistance des lignes allemandes. Il croyait aussi à l'efficacité des troupes montées. Il décida donc d'envoyer d'abord l'infanterie pour briser les lignes ennemies, puis la cavalerie. Mais cette tactique du XIXe siècle n'avait aucune chance de réussir face à une technologie militaire moderne.

Les soldats britanniques, pour la plupart des volontaires inexpérimentés, durent affronter une position difficile. Les Allemands occupaient les hauteurs et pouvaient donc défendre leurs lignes facilement. Les tranchées allemandes, solides et équipées de casemates profondes, protégeaient les soldats des tirs d'obus.

Le peintre britannique Paul Nash devint soldat en 1914 et peintre officiel de la guerre en 1916. Ce tableau intitulé « *Over the Top* » (La sortie de la tranchée) représente des soldats se hissant hors d'une tranchée en hiver. Nash fut également peintre officiel durant la Seconde Guerre mondiale.

Le général Douglas Haig.

Le 23 juin, l'artillerie britannique commença à pilonner les Allemands. Son objectif était de détruire les tranchées de première ligne et les barbelés pour permettre à l'infanterie d'avancer. Mais les canons ne purent pas détruire les casemates et les obus étaient inefficaces contre les barbelés. L'infanterie lança cependant son offensive le 1er juillet.

Quand les soldats britanniques sortirent des tranchées, ils furent fauchés par les mitrailleurs allemands abrités dans leurs casemates. L'artillerie allemande participa aussi au combat. Le *no man's land* fut bientôt jonché de cadavres et de blessés. Sur les 120 000 soldats montés à l'attaque le premier jour, environ 20 000 furent tués et 40 000 blessés, portés disparus ou faits prisonniers par les Allemands.

Haig ne modifia cependant pas sa tactique, et le nombre des morts augmenta encore. Le 15 septembre, les Alliés utilisèrent pour la première fois des chars d'assaut. Mais certains tombèrent en panne et les autres se déplaçaient si lentement qu'ils étaient des cibles faciles pour les Allemands. En novembre, une offensive des Alliés échoua et la bataille s'acheva. Il y eut dans la Somme plus d'un million de victimes dont 60 % environ de soldats alliés. La Grande-Bretagne avait progressé de 12 km.

Le capitaine R.J. Trousdell des *Royal Irish Fusiliers* écrivit cette description de la zone de combats de la Somme.

À découvert, on ne voyait aucun signe de végétation : les cratères d'obus se superposaient littéralement sur des kilomètres carrés. La surface chaotique était parcourue d'entailles plus ou moins continues qui indiquaient l'emplacement des tranchées dans lesquelles nos soldats réussirent à subsister, bombardés nuit et jour jusqu'à ce qu'ils montent à l'attaque ou qu'ils soient relevés... Les forêts d'arbres majestueux étaient réduites à quelques troncs maigres et déchiquetés. Les villages avaient disparu, comme s'ils n'avaient jamais existé.

Une forêt de la Somme détruite par les bombardements.

De nombreux Australiens combattirent dans la Somme. Dans ce poème, le soldat australien Vance Palmer évoque l'impossibilité d'oublier cette expérience :

S'effaceront-elles un jour
Cette boue et ces silhouettes brumeuses
Défilant sans cesse dans les marais infects
Et cette eau grise baignant l'herbe et les roseaux
Et ces **ailes d'acier** bourdonnantes ?
J'ai retrouvé
La ferme et la brousse bienveillante,
Et les meuglements des jeunes veaux ;
Mais mon esprit ne voit
Qu'un marécage tremblant dans la brume,
Des arbres nus et brisés
Et les flots sombres de la **Somme**.

Des avions survolèrent le champ de bataille (voir pages 36-37).

La région de la **Somme** tire son nom de la rivière qui la traverse.

Le service militaire

Jusqu'en 1916, l'armée britannique était composée de militaires de carrière et des trois millions de volontaires. Mais les pertes humaines furent très lourdes et l'armée avait donc besoin de nouveaux soldats. Le service militaire obligatoire pour les hommes célibataires âgés de 18 à 41 ans fut voté en janvier 1916. En mai, les hommes mariés furent appelés à leur tour. L'âge limite fut progressivement relevé jusqu'à 50 ans. Certains hommes étaient exemptés. Les objecteurs de conscience par exemple qui devaient affronter l'hostilité générale et parfois la prison.

La guerre aérienne

Des soldats alliés dans un ballon d'observation espionnent l'activité de l'ennemi sur le front ouest. Ces ballons captifs étaient reliés au sol mais pouvaient s'élever à une hauteur de 1800 m.

Les Alliés et les Empires centraux utilisèrent l'aviation dès le début du conflit, mais les avions ne jouèrent un rôle important que bien plus tard.

Au début de la guerre, les avions se limitaient à des missions d'observation sur les lignes ennemies. Les artilleurs utilisaient les informations qu'ils rapportaient pour régler les tirs. Mais aucun chef militaire ne pensait encore à l'avion comme appareil de combat.

La « chasse » commença quand les deux camps envoyèrent des avions abattre les appareils de reconnaissance ennemis.

Les pilotes fixèrent alors des mitrailleuses sur leurs avions. Mais ils risquaient, en tirant devant eux, de toucher leurs hélices. En 1915, le Français Roland Garros mit au point un système permettant de tirer à travers l'hélice. Les Allemands abattirent l'avion de Garros, et leur constructeur Anthony Fokker améliora son invention. Les avions allemands furent bientôt équipés de ce système.

À partir de 1915, les avions s'engagèrent dans des combats aériens au-dessus des tranchées. L'ère des « as de l'aviation » avait commencé. Les combats aériens évoluèrent avec les avions. L'objectif de l'aviation alliée était d'organiser des patrouilles pour balayer du ciel les avions d'observation ennemis. Les Allemands organisèrent des rotations d'escadrilles pour intervenir en appui là où la situation l'exigeait. Le combat en formation l'emporta sur le combat individuel et les avions commencèrent à attaquer des cibles terrestres.

L'aviation de bombardement se développa dès 1914 avec les dirigeables allemands Zeppelin qui attaquaient des civils en Angleterre et en France.

Les raids devinrent moins fréquents après 1916, quand les

Ce tableau représente un combat aérien entre des biplans britanniques et allemands. Les avions allemands portent des croix noires.

Alliés commencèrent à abattre les dirigeables remplis d'hydrogène à l'aide d'obus incendiaires. À partir de 1917, les avions alliés bombardèrent régulièrement des usines et des mines allemandes tandis que les bombardiers allemands Gotha attaquaient les villes britanniques. En 1918, les avions étaient reconnus comme un moyen efficace pour faire la guerre.

La *Royal Air Force*

Au début de la guerre, la Grande-Bretagne disposait de deux forces aéroportées de combat. Le *Royal Flying Corps* faisait partie de l'armée et le *Royal Naval Air Service* de la marine. Des changements s'imposaient en raison de l'importance croissante de l'aviation. Le général de division Hugh Trenchard, qui était à la tête du *Royal Flying Corps*, accepta de former un service unifié. La *Royal Air Force* (RAF) fut créée en avril 1918.

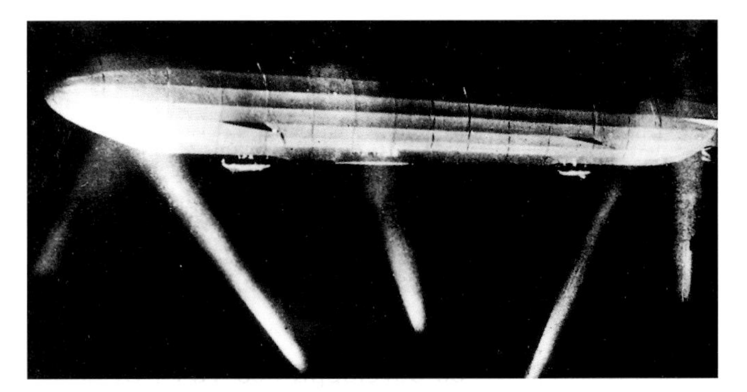

Des projecteurs ont repéré un Zeppelin (allemand) qui s'apprête à bombarder l'Angleterre au cours d'une attaque nocturne.

Le Baron rouge fut le meilleur pilote allemand de combat. Il abattit 80 avions avant d'être abattu à son tour en 1918.

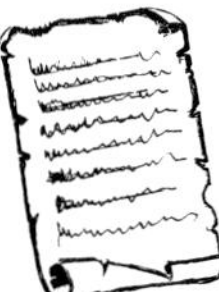

Le « Baron rouge », Manfred von Richthofen, devait son surnom à son avion, un Fokker rouge. Von Richthofen tenait un journal qui fut publié après la guerre, avec une sélection de ses lettres. Ce passage est extrait de l'une de ces lettres :

Devant Verdun, le 3 mai 1916
Je vous remercie sincèrement pour les vœux que vous m'avez adressés pour mon anniversaire que j'ai passé bien agréablement ici. Le matin, j'ai livré trois combats aériens éprouvants et j'ai passé la soirée, jusqu'à une heure du matin, avec Zeumer, mon premier pilote. Nous avons bu du punch, assis sous un pommier en fleurs. Je suis très satisfait de ma nouvelle fonction de pilote de combat.

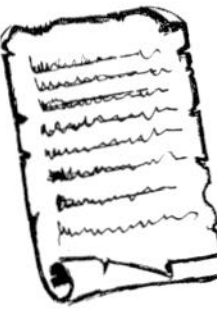

On ne connaît pas le nom du pilote anglais qui écrivit cette lettre en août 1917. Sa vision de la guerre est très différente de celle du Baron rouge.

Voler est épuisant nerveusement et bien qu'un pilote soit supposé tenir six mois avec un congé de deux semaines, ils sont nombreux à craquer après quatre mois ou quatre mois et demi... Personne ne peut imaginer la tension de deux heures et demie de vol au-dessus du front. Il faut d'abord garder sa place dans la formation... puis il faut suivre le chef qui nous guide pour éviter les tirs d'**Archie**... Il faut enfin se méfier de tous les appareils en vol jusqu'à ce qu'on soit sûr que ce ne sont pas des **Boches**.

Archie désigne, en argot des soldats britanniques, les canons de défense antiaérienne.

Boches est un terme injurieux désignant les Allemands.

Propagande et censure

Cette affiche est une publicité pour les *liberty bonds* (bons pour la liberté), des obligations mises en vente par le gouvernement américain pour financer la guerre. C'est aussi une propagande antiallemande.

La propagande (la diffusion d'informations partiales en faveur d'une cause) et la censure (la suppression de l'information) furent largement utilisées pendant la Première Guerre mondiale. Les gouvernements, les armées et les médias des deux camps en devinrent de plus en plus dépendants.

La propagande commença dès le début de la guerre. Les journaux et le public répandirent des rumeurs sur la cruauté des soldats ennemis et sur les atrocités qu'ils commettaient. L'incompétence de l'armée adverse était aussi un sujet fréquent, mais les deux camps glorifiaient le courage de leurs propres troupes. Les soldats étaient peu sensibles à ces commérages. Sur le front, ils se sentaient souvent plus proches de leurs ennemis, qui connaissaient la vérité, que de leurs compatriotes civils mal informés.

La nature de la censure variait d'un pays à l'autre. Le Bureau de presse de guerre allemand exerça un contrôle sévère par l'intermédiaire de l'armée. Les autorités françaises interdirent la publication des listes de morts et de blessés et embellirent la réalité. En Grande-Bretagne, le ministère de la Guerre écrivait les reportages de guerre officiels qui étaient approuvés par le Premier ministre avant d'être transmis à la presse. À partir de mai 1915, quelques journalistes britanniques furent autorisés à aller sur le front afin d'envoyer des reportages à leurs journaux.

La propagande de guerre se renforça en 1916 avec le rôle croissant du cinéma. Un film intitulé la *Bataille de la Somme* fut tourné pendant les combats. Les scènes montrant les courageux soldats britanniques devaient encourager le public, mais de nombreux spectateurs furent choqués par la violence, même si elle était loin de la réalité. À partir de 1917, le général allemand Erich Ludendorff encouragea la production de films de propagande. Ils présentaient une image positive des soldats allemands et le public se précipita dans les salles de cinéma.

L'acteur Charlie Chaplin joua dans un film de propagande muet, *Charlot soldat* (1918). Il y gagnait la guerre à lui tout seul !

Cette lettre fut écrite en 1916 par un soldat britannique. Les informations susceptibles d'intéresser l'ennemi furent barrées par la censure.

LE CULTE D'HINDENBURG

Les autorités militaires allemandes développèrent une campagne de propagande surprenante pour compenser l'échec du plan Schlieffen (voir page 12). En misant sur le souhait du public d'idolâtrer ses soldats, elles encouragèrent le culte d'un héros militaire, Paul von Hindenburg, un des responsables de la victoire de Tannenberg (voir page 14). Une gigantesque statue d'Hindenburg fut érigée à Berlin, dans le parc du Tiergarten. Les Allemands payaient pour le privilège de planter, dans la statue, des clous supposés faire de lui un « homme de fer » encore plus solide. L'argent contribua à financer la guerre.

Une foule est rassemblée autour de la statue d'Hindenburg, au son de la musique d'un orchestre militaire.

Des tracts de propagande étaient parfois lâchés sur les tranchées par des avions ou des dirigeables afin de démoraliser l'ennemi. Ils annonçaient généralement aux soldats que leur défaite était proche et leur résistance inutile. Voici le texte d'un tract lâché par les Allemands sur les lignes américaines en 1918.

REFUSEZ DE MOURIR !
Ne mourez pas avant l'heure !
Pourquoi iriez-vous mourir pour la France, pour l'Alsace-Lorraine ou pour l'Angleterre ?
N'est-il pas préférable de vivre que de mourir pour une cause, aussi « glorieuse » soit-elle ? N'est-il pas préférable de vivre et de rentrer à la maison chez ses parents que de pourrir dans une tranchée ou un trou d'obus en France ?
Si vous vous rendez, nous vous traiterons correctement.
Pourquoi courir des risques inutiles ? Pourquoi ne pas accepter l'asile de l'Allemagne jusqu'à là fin de la guerre ?
REFUSEZ DE MOURIR AVANT L'HEURE !

1917
L'entrée en guerre des États-Unis

Les grandes batailles de 1916 sur le front ouest - Verdun et la Somme - n'eurent pas de véritables vainqueurs. C'était une guerre d'usure au cours de laquelle chaque camp tenta d'infliger à l'autre des pertes humaines importantes. En 1917, il devint clair que cette tactique avait échoué. Erich Ludendorff, qui était avec Hindenburg à la tête des forces armées allemandes, changea de stratégie dans les tranchées. Il était aussi convaincu que la guerre ne pouvait se gagner qu'en mer.

Le 31 janvier 1917, l'Allemagne déclencha une guerre sous-marine à outrance : ses *U-Boot* couleraient tous les navires alliés ou neutres présents dans la zone de guerre de l'Atlantique. L'Allemagne espérait par cette mesure extrême affamer la Grande-Bretagne, forcer les Alliés à entamer des négociations de paix et mettre rapidement un terme à la guerre. Elle disposait alors de plus de 200 sous-marins.

Le président américain, Woodrow Wilson, fut consterné par la décision allemande et rompit les relations diplomatiques. Il voulait cependant poursuivre la politique isolationniste des États-Unis, mais il fut contraint à changer d'avis. Les Britanniques interceptèrent un télégramme envoyé par le ministre des Affaires étrangères allemand, Arthur Zimmermann, à son ambassadeur au Mexique. Il précisait que, si Woodrow Wilson déclarait la guerre, l'Allemagne aiderait le Mexique à reconquérir ses territoires cédés aux États-Unis (Nouveau-Mexique, Texas, Arizona) en échange d'un appui mexicain.

Le télégramme, publié dans les journaux américains, provoqua la colère dans tout le pays. Les sous-marins allemands coulèrent alors sept

Le 6 avril 1917, le président Woodrow Wilson lit, devant le Congrès, la déclaration de guerre des États-Unis.

Cette illustration idéaliste de soldats partant à la guerre fut publiée en couverture d'un magazine pour enfants en 1918.

Des soldats américains débarquent à Saint-Nazaire en juin 1917.

L'ARMÉE DES ÉTATS-UNIS

Avant d'entrer en guerre, l'armée des États-Unis comptait environ 200 000 hommes. À la fin du conflit, deux millions de soldats, dont 200 000 Afro-américains, servaient en Europe. Leur expérience de la guerre des tranchées était limitée et ils dépendaient des autres Alliés pour leurs armes et leur matériel. Ils contribuèrent cependant grandement à la victoire des Alliés.

navires américains. Wilson ne pouvait plus hésiter. Le 6 avril 1917, il déclara la guerre. En mai, une loi obligea tous les Américains âgés de 21 à 30 ans (plus tard de 18 à 45 ans) à rejoindre les forces armées. Le général John Pershing prit le commandement du corps expéditionnaire et les premiers soldats américains arrivèrent en France en juin.

Pendant ce temps, la guerre sous-marine faisait rage. Au printemps 1917, les Allemands détruisirent environ 800 navires par mois. Les bateaux de nombreux pays refusèrent d'approcher de la Grande-Bretagne dont les réserves de nourriture et de marchandises s'épuisaient alors rapidement. Cependant, à partir du mois d'avril, les navires marchands se déplacèrent en convois d'une quarantaine d'unités escortés de vaisseaux de guerre. Au cours des six mois suivants, seuls 24 navires furent coulés sur les 1500 à destination de la Grande-Bretagne.

Voici un passage d'une lettre du sergent Phelps Harding du 306e régiment d'infanterie qui faisait partie du corps expéditionnaire américain.

Camp Upton, New York, le 29 mars 1918

Cher Papa,
Je viens d'écrire à Maman que le régiment est pratiquement prêt à partir pour la France... Je t'adresse cette lettre... afin que Maman ne la voie pas. Je veux te dire que l'on nous a donné en secret... la possibilité de choisir entre servir ici ou à l'étranger... Ne dis pas à Maman que j'avais l'opportunité de rester, car je sais qu'elle serait malheureuse que je ne sois pas resté. Je te dis cela afin que, s'il m'arrivait quelque chose, tu saches que j'ai choisi librement d'affronter le danger, en étant parfaitement conscient de ce qui m'attend au cours des combats de l'autre côté. Je suis très heureux d'avoir l'occasion d'y aller et de faire mon devoir - et je sais que tu es heureux que j'y aille...

L'OFFENSIVE NIVELLE

En décembre 1916, le général Robert Nivelle remplaça le général Joffre à la tête des forces armées françaises. Il décida de lancer en 1917 une nouvelle offensive alliée afin de briser les lignes allemandes.

Erich Ludendorff choisit une stratégie contraire. Il avait décidé la guerre sous-marine à outrance. Sur le front ouest, il renforca la position défensive de ses troupes en les reculant de 30 km vers l'est et en leur faisant construire la ligne Hindenburg (voir la carte page 32). Cette très longue ligne de défense, parfois large de 16 km, était fortifiée à l'aide de fil de fer barbelé et de tranchées.

Les Allemands passèrent des mois à construire des tranchées profondes et solides, comme celle-ci, sur la ligne Hindenburg. Leurs troupes s'y replièrent en mars 1917.

L'offensive de Nivelle devait commencer en Champagne vers la mi-avril. Le 9 avril, les Britanniques, les Canadiens et les Australiens lancèrent une attaque limitée sur Arras, plus au nord, afin de détourner l'attention des Allemands. Au début, les Alliés avancèrent de 5 km et les Canadiens s'emparèrent d'une hauteur, la crête de Vimy. Mais les Allemands contre-attaquèrent et la bataille ne s'acheva que le 17 mai sans vainqueur ni vaincu.

La plus grosse offensive eut lieu le 16 avril, sur le Chemin des Dames, près de Reims. Mais un prisonnier avait révélé le plan des Français aux Allemands qui eurent donc le temps de se préparer à l'attaque. Au cours des deux premiers jours de l'assaut, les Français avancèrent sous un déluge de balles de mitrailleuses. Il fut bientôt évident qu'aucune percée n'était possible, mais Nivelle poursuivit l'attaque. Au bout de deux semaines, les Français avaient avancé d'environ 500 m et perdu 250 000 hommes.

Le massacre inutile et l'obstination de Nivelle - l'opération se poursuivit jusqu'en mai - provoquèrent des mutineries dans l'armée française. Des troupes de réserve refusèrent de se rendre

Des soldats canadiens en marche vers la crête de Vimy. Ils étaient sous les ordres du général Julian Byng qui devint plus tard gouverneur général du Canada.

sur le front en renfort et des soldats de première ligne refusèrent d'attaquer. Environ 500 000 hommes participèrent à ces mouvements d'indiscipline. Le calme revint quand le général Pétain remplaça Nivelle. Il promit aux soldats de mettre un terme aux grandes offensives inutiles. Il leur rappela que les Américains arrivaient et il améliora leurs conditions de vie et de combat.

Des soldats britanniques se préparent pour la bataille d'Arras. Ils observent l'ennemi à l'aide d'un périscope et de jumelles. L'un d'entre eux transmet des renseignements à l'arrière grâce à un téléphone de campagne.

À Arras, les soldats alliés agrandirent un réseau de grottes qui s'étendait sous la ville afin de s'y abriter et d'atteindre les lignes allemandes sans s'exposer. Le général de brigade britannique Douglas les décrit dans ce passage :

Autrefois, les Français construisaient leurs villes en extrayant sur place le calcaire. Ils ont ainsi creusé d'immenses grottes. Nous les avons reliées entre elles. Nous les avons éclairées à l'électricité. Nous avons aménagé des quartiers généraux. Le jour de l'attaque, vos pouviez vous rendre sous terre du centre d'Arras à la ligne de front allemande. Nous fîmes sauter les 50 derniers mètres à l'**heure H**. Nous eûmes ainsi des tranchées de communication à travers le no man's land en moins d'une demi-heure.

L'**heure H** est l'heure à laquelle devait débuter l'attaque.

Les prisonniers de guerre

Le soldat qui révéla le plan de l'offensive Nivelle aux Allemands était l'un des huit millions de prisonniers capturés pendant la Première Guerre mondiale. Après une attaque, les prisonniers étaient généralement rassemblés dans des enclos puis acheminés vers des camps de prisonniers. Après un interrogatoire, ils étaient envoyés au travail. Leurs conditions de vie étaient difficiles.

Cette illustration de 1917 représente des prisonniers allemands derrière les fils de fer barbelés d'un camp français de prisonniers.

LE SAILLANT D'YPRES

Les mutineries dans l'armée française s'achevèrent en juin. Comme Pétain l'avait promis, la France ne lança plus d'offensive importante. Cependant, Haig avança l'idée qu'une dernière attaque menée par les Britanniques pourrait mettre les Allemands à genoux. Il choisit Ypres comme terrain d'opération.

Ypres était une avancée - un saillant - en territoire ennemi. Malgré la difficulté de mener une attaque dans cette région, Haig voulut tenter une percée vers les ports belges que les Allemands utilisaient comme bases sous-marines. Lloyd George, le Premier ministre britannique, avait des doutes sérieux sur ce plan. Mais Haig fit valoir que les soldats allemands étaient affaiblis, alors que les Britanniques disposaient de nouvelles armes, de nouveaux avions et chars, de meilleures techniques de combat et de photographies aériennes précises.

Le 7 juin 1917, avant le début de l'offensive générale, les troupes alliées, menées par le général Herbert Plumer, s'emparèrent de la crête de Messines, une hauteur de laquelle les Allemands surveillaient l'ennemi. Les Alliés ne profitèrent pas de la confusion des Allemands et attendirent sept semaines avant de lancer leur offensive.

La troisième bataille d'Ypres débuta le 31 juillet 1917. Le mauvais temps et un bombardement préliminaire de 4,5 millions d'obus transformèrent le sol en bourbier. En août, les soldats progressèrent lentement et les pertes furent importantes. En septembre, pendant une éclaircie, les troupes britanniques et l'Anzac parvinrent à s'emparer de la route de crête de Menin, du bois du Polygone et de Broodseinde.

En octobre, de nouvelles pluies torrentielles s'abattirent ; des hommes et des chevaux

Des soldats portent une civière sur un champ de bataille d'Ypres transformé en bourbier par des pluies torrentielles.

se noyèrent dans la boue. Malgré tout, les soldats continuèrent le combat. Le 6 novembre, les Canadiens s'emparèrent du village de Passchendaele. Haig arrêta alors l'offensive. Les Alliés avaient avancé de 10 km et se trouvaient maintenant plus exposés. Plus de 400 000 étaient morts. Devant l'horreur de la situation, les hommes perdirent presque espoir.

L'offensive de Cambrai, déclenchée le 28 novembre à environ 80 km au sud d'Ypres, redonna un peu le moral aux Alliés. Quatre cents chars de type Mark IV enfoncèrent les lignes allemandes et avancèrent de 8 km. Mais les Allemands regagnèrent rapidement le terrain.

Un char de type Mark IV à Cambrai. C'est pendant la bataille de Cambrai que furent engagés, pour la première fois, des chars de combat.

La bataille du saillant d'Ypres fut un désastre. Haig se souvient cependant dans ses notes qu'il avait reçu ce télégramme de félicitations de la part du gouvernement britannique le 16 octobre 1917.

Le ministère de la Guerre désire vous féliciter, ainsi que les troupes placées sous votre commandement, pour les succès que vous ayez remportés dans les Flandres au cours de la grande bataille qui fait rage depuis le 31 juillet. Partis de positions qui avantageaient l'ennemi et parfois gênés et retardés par un temps défavorable, vous et vos hommes avez cependant réussi à repousser l'ennemi avec une compétence, un courage et une détermination qui ont rempli l'ennemi d'effroi et qui vous valent la reconnaissance admirative des peuples de l'Empire britannique.

La bataille de Caporetto

L'Italie et l'Autriche-Hongrie se battaient sur leur frontière commune depuis 1915 (voir page 25). Les combats étaient indécis et en 1917, aucun camp n'avait remporté de victoire décisive. Mais Erich Ludendorff envoya des troupes allemandes aider les Austro-Hongrois et ils lancèrent une offensive commune à Caporetto le 24 octobre. L'armée italienne subit une défaite importante et son armée recula de 100 km. La Grande-Bretagne et la France envoyèrent aussitôt des troupes en renfort.

LA RÉVOLUTION RUSSE

Les premières années de la guerre avait jeté la honte sur les armées russes, écrasées à Tannenberg en 1914, chassées de Pologne en 1915 et forcées de battre en retraite après l'offensive de Broussilov. À l'intérieur du pays, les Russes devaient affronter les restrictions, la famine et une inflation galopante.

Le tsar Nicolas II avait déjà survécu à une révolution, en 1905. Il fut de nouveau menacé en mars 1917. Des habitantes de Petrograd (l'actuelle Saint-Pétersbourg) prirent d'assaut des boulangeries. L'agitation se propagea et des manifestants défilèrent dans les rues. Le tsar ordonna à l'armée de tirer sur les manifestants, mais de nombreux soldats refusèrent d'obéir.

LE FRONT DE L'EST 1917-1918

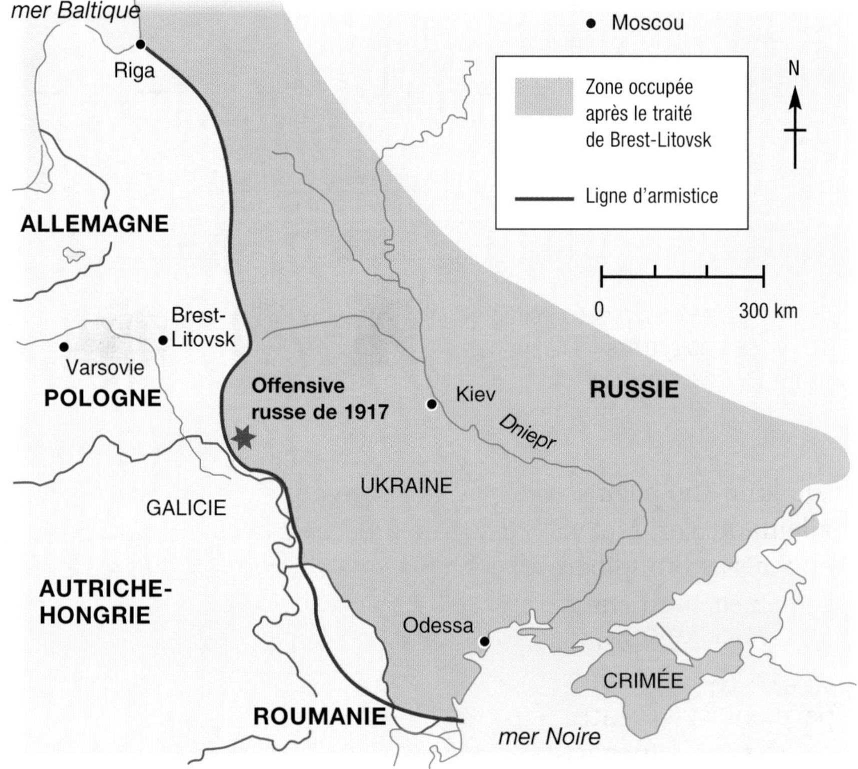

Le tsar Nicolas II avec trois de ses filles. Il fut exécuté avec sa famille par les révolutionnaires, le 16 juillet 1918.

Le tsar comprit qu'un changement était inévitable. Il nomma à la tête du pays un gouvernement provisoire dirigé par le prince Lvov, et abdiqua le 17 mars. Le prince Lvov et ses ministres durent décider du maintien en guerre de la Russie. Le gouvernement provisoire, ne voulant pas perdre ses alliés, décida de la poursuivre.

Beaucoup de soldats peu disposés à se battre rejoignirent les révolutionnaires favorables à un arrêt immédiat des combats. Ces révolutionnaires avaient créé, dans tout le pays, des comités de travailleurs, les soviets, dont les pouvoirs étaient grandissants. Les Allemands décidèrent d'exploiter cette situation. Ils autorisèrent Vladimir Lénine, le chef révolutionnaire du parti bolchevik, à quitter la Suisse et à rejoindre en train la Russie en passant par l'Allemagne. Il y arriva en avril.

En juin, le nouveau chef du gouvernement provisoire, Alexandre Kerenski, lança une offensive contre l'Allemagne. Ce fut un échec complet qui permit aux Allemands d'avancer vers l'est. Le soviet de Petrograd, dirigé par un compagnon de Lénine, Léon Trotski, estima qu'il était temps de s'emparer du pouvoir. Le 6 novembre, Trotski lança le signal de la révolution. Les bolcheviks s'emparèrent de la ville et le gouvernement s'enfuit.

Lénine prit les commandes de la nouvelle Russie et engagea des négociations avec l'Allemagne pour le retrait de son pays de la guerre. Le cessez-le-feu débuta le 3 décembre 1917. Léon Trotski, nouveau ministre des Affaires étrangères, engagea les négociations de paix. Le traité de Brest-Litovsk, signé en mars 1918, contraignit la Russie à céder de larges parties de son territoire (voir la carte).

Cette photographie fut prise à Petrograd, en 1917. Des bolcheviks tirent sur des partisans du gouvernement.

Vladimir Lénine

Vladimir Ilitch Oulianov, dit Lénine, fit des études d'avocat et adopta les théories du philosophe allemand Karl Marx. En 1895, ses idées et son activité politiques lui valurent d'être déporté en Sibérie. Il fut libéré en 1900 et joua un rôle important dans la révolution de 1905. Après cet échec, il fut envoyé en exil en Suisse où il resta jusqu'à ce que les Allemands lui permettent de rentrer en Russie en 1917. Lénine dirigea le pays, de la révolution jusqu'à sa mort en 1924. Son tombeau est sur la place Rouge de Moscou.

Lénine était un orateur convaincant comme le laisse supposer cette affiche. Il utilisa cette qualité pour propager ses idées communistes.

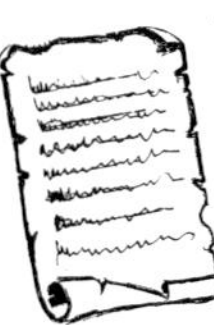

Voici un extrait d'un discours que Lénine prononça devant le soviet de Petrograd le jour où les bolcheviks s'emparèrent de la ville.

Lénine croyait en la théorie marxiste du socialisme révolutionnaire : la classe ouvrière devait renverser le capitalisme, dans lequel l'industrie est propriété privée, et le remplacer par un système basé sur la propriété commune.

Les **masses prolétariennes** sont la classe ouvrière.

Une nouvelle phase de l'histoire de la Russie commence : cette fois la révolution russe doit mener à la **victoire du socialisme**. Une tâche urgente est de mettre un terme à la guerre... Nous serons aidés par le mouvement mondial de la classe ouvrière qui commence déjà à se développer en Italie, en Grande-Bretagne et en Allemagne. La proposition que nous faisons à la démocratie internationale pour une paix juste et immédiate provoquera une réponse ardente parmi les **masses prolétariennes** internationales.

LE MOYEN-ORIENT

Les Alliés et les Turcs ne se battirent pas que dans la presqu'île de Gallipoli. Ils s'affrontèrent aussi en Palestine et en Mésopotamie (l'Irak actuel) qui faisaient alors partie de l'Empire ottoman. En 1917, alors que la Russie préparait son retrait du conflit, les Alliés intensifièrent leur activité au Moyen-Orient, car ils craignaient l'arrivée dans cette région des Turcs qui s'étaient battus contre les Russes.

Les Alliés s'intéressaient à la Palestine, car ils désiraient protéger le canal de Suez, une route maritime vitale qui relie la mer Méditerranée et la mer Rouge. Les Turcs attaquèrent le canal en 1915. En 1916, les Britanniques les repoussèrent peu à peu en Palestine, mais ne parvinrent pas à remporter de victoire décisive. Au début de 1917, deux attaques britanniques échouèrent. La Grande-Bretagne chargea le général Edmund Allenby de lancer une nouvelle offensive en juin. Ce fut un succès : il s'empara des villes palestiniennes de Gaza et de Beersheba en octobre et de Jérusalem le 9 décembre.

L'offensive d'Allenby était soutenue par les Arabes qui voulaient renverser le gouvernement turc. Le soulèvement était dirigé par l'émir Fayçal ben Hussein, le fils du calife de La Mecque. Il reçut l'aide d'un agent du service d'espionnage britannique, Lawrence, connu aujourd'hui sous le nom de « Lawrence d'Arabie ». Les deux hommes créèrent des unités de guérilla arabes, très efficaces, qui harcelèrent les Turcs.

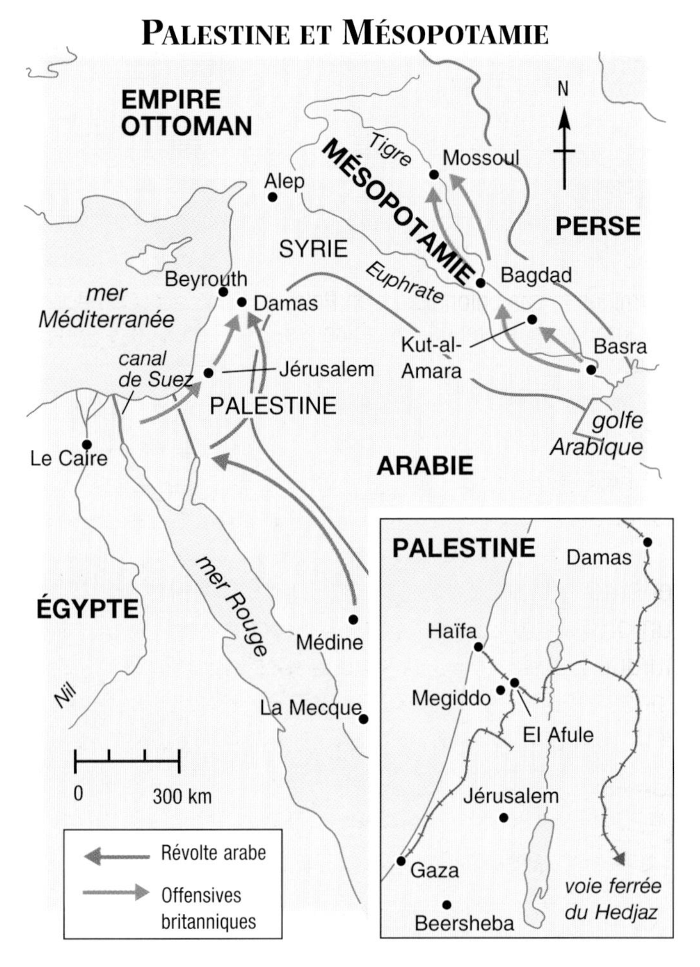

Le général Edmund Allenby.

En novembre 1914, les Britanniques débarquèrent en Mésopotamie, dans le fond du golfe Arabique et se dirigèrent vers le nord. En décembre 1915, les Turcs les assiégèrent dans la ville de Kut-al-Amara. La faim les contraignit à capituler en avril 1916. En mars 1917, une nouvelle campagne provoqua la chute de Bagdad. Les Britanniques continuèrent alors vers le nord et prirent Mossoul en octobre 1918.

La campagne de Palestine s'acheva elle aussi à la fin de 1918. Avant l'assaut final, les Arabes firent sauter la voie ferrée du Hedjaz, une ligne de communication vitale pour l'armée turque. Puis le

Parmi les forces britanniques en Palestine, l'*Imperial Camel Corps* (le corps impérial à chameau) comprenait des soldats de nombreux pays : Angleterre, Australie, Nouvelle-Zélande, Inde et Égypte.

19 septembre, les forces d'Allenby - composées de Britanniques, de Français, d'Indiens et de l'Anzac - attaquèrent plusieurs points situés le long de la voie, tels que Megiddo et El Afule.

Les forces turques s'effondrèrent. Les Alliés avancèrent vers le nord et prirent Damas le 1er octobre. Le 30 octobre, les Turcs signèrent un armistice. Lawrence et l'émir Fayçal espéraient qu'après la défaite turque les Alliés récompenseraient les Arabes en leur accordant leur indépendance. Mais les Britanniques et les Français se partagèrent leur territoire.

La guerre en Afrique

En 1914, la France et la Grande-Bretagne avaient toutes deux de grands empires. Elles firent appel à des soldats de leurs colonies, africaines entre autres, pour se battre dans le camp des Alliés. Les Allemands avaient aussi des colonies africaines et des combats se déroulèrent sur leurs territoires. Le Togo se rendit aux Alliés en août 1914, le Sud-Ouest africain en mai 1915 et le Cameroun en février 1916. Mais en Afrique-Orientale, les forces allemandes se battirent pendant quatre ans. Elles ne se rendirent que le 14 novembre 1918.

Le colonel Lawrence en tenue du désert.

Thomas Lawrence connaissait parfaitement la langue et l'histoire arabes. En 1926, il publia *les Sept Piliers de la sagesse*, l'histoire du soulèvement des Arabes. Il explique dans ce passage pourquoi il abandonna l'uniforme britannique pour porter des vêtements arabes.

Fayçal me demanda soudain si je voulais porter des vêtements arabes dans le camp. Je me sentirais mieux pour ma part, car ce sont des vêtements confortables pour vivre à la manière arabe comme nous devions le faire. De plus, les membres de la tribu me comprendraient mieux. Les seuls vêtements **kaki** qu'ils avaient connus étaient ceux des officiers turcs pour qui ils éprouvaient une méfiance instinctive. Si je portais des vêtements de **La Mecque**, ils me considéreraient vraiment comme l'un de leurs chefs et je pourrais sortir de la tente de Fayçal sans faire sensation...

L'uniforme britannique était **kaki**.

Fayçal venait de **La Mecque,** la ville sainte de l'Islam qui est aujourd'hui en Arabie Saoudite.

1918
L'OFFENSIVE ALLEMANDE

En 1918, la situations des Alliés sur le front ouest n'était pas bonne. L'offensive Nivelle et le saillant d'Ypres avaient été des désastres. Les Italiens avaient battu en retraite à Caporetto. Pire encore, un million de soldats allemands venaient en renfort du front est à la suite du retrait du conflit de la Russie. Cependant, les Américains arrivaient eux aussi.

Le plan du général allemand Erich Ludendorff, visant à mettre un terme au conflit par le blocus des sous-marins, avait échoué. Il décida donc de risquer une attaque terrestre. Il pensait que la victoire était possible grâce au seul nombre de soldats allemands. Pour augmenter encore leurs chances, il appliqua des stratégies qui avaient fait leurs preuves en Russie, comme l'utilisation de sections d'assaut armées de mitrailleuses et de lance-flammes qui agissaient indépendamment et avec des effets dévastateurs.

L'offensive allemande commença en France le 21 mars 1918. Son objectif était d'attaquer les Britanniques à Saint-Quentin, dans la Somme, pour les séparer des Français et les repousser à la mer. Le pilonnage préliminaire fut court, mais très violent. 750 000 fantassins montèrent ensuite à l'assaut et avancèrent de 60 km en une semaine. Les Britanniques, qui n'étaient que 300 000, furent contraints de battre en retraite. Amiens était menacé.

Les Allemands maintinrent la pression de l'offensive pendant quatre mois, mais le plan de Lundendorff révéla des failles. La vitesse de l'offensive et la guerre d'usure de 1916 et 1917 avaient épuisé les soldats. Le ravitaillement ne suivait plus. Une grande partie de l'artillerie était restée à l'arrière, et les bombardements devinrent donc moins intenses. Les raids aériens des Alliés commencèrent aussi à faire des dégâts. Enfin, il n'y avait plus de renforts pour remplacer les milliers de morts au combat.

En avril 1918, le général français Ferdinand Foch prit le commandement de toutes les forces alliées. Les Américains lancèrent leur première offensive à Cantigny, en mai. En juin, ils délogèrent les Allemands du bois Belleau qu'ils occupaient depuis longtemps. Foch comprit que le rapport de force était en train de s'inverser au profit des Alliés. En juillet, il décida qu'il était temps de passer à la contre-attaque.

LE FRONT OUEST 1918

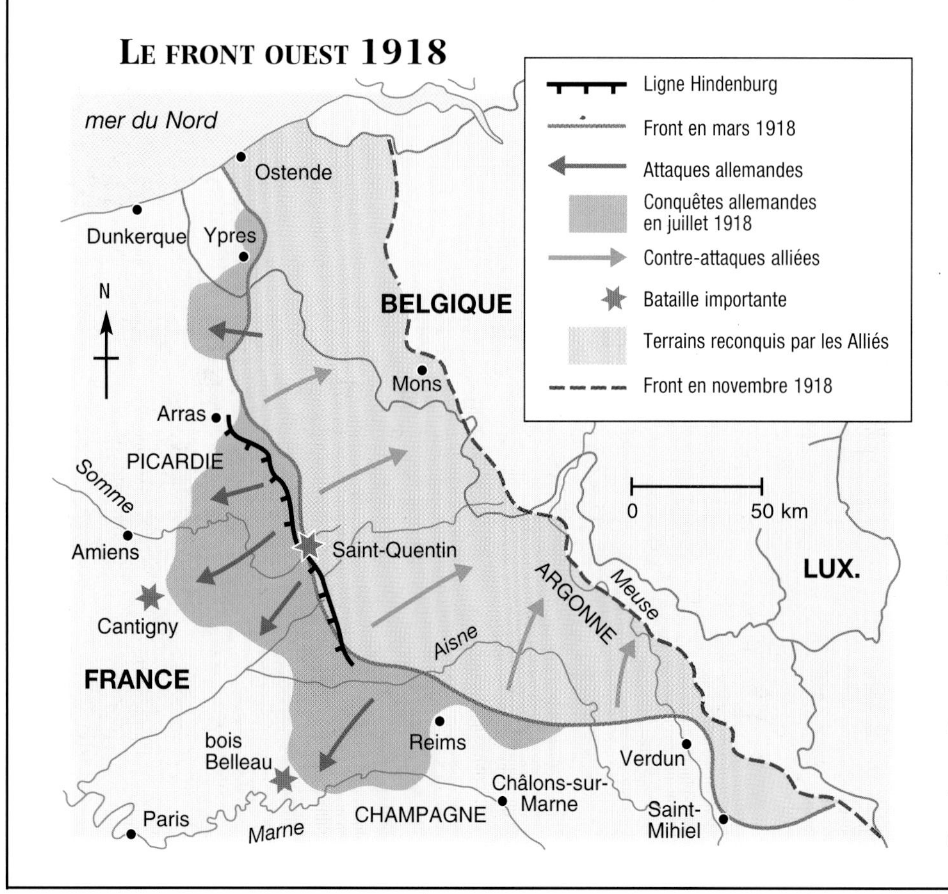

LES « QUATORZE POINTS »
En janvier 1918, le président américain Woodrow Wilson préparait déjà la paix. Le 8 janvier, il présenta au Congrès un programme en quatorze points visant à rétablir la paix et à la préserver. Ces mesures étaient justes pour les deux camps. La Grande-Bretagne et la France les trouvaient trop idéalistes - elles estimaient que l'Allemagne devait être sévèrement punie pour son agression. À la fin de la guerre, elles avaient cependant accepté de prendre les quatorze points comme base pour les négociations de paix de Paris (voir page 56).

Program for the Peace of the World

By *PRESIDENT WILSON* January 8, 1918

I. Open covenants of peace, openly arrived at, after which there shall be no private international understandings of any kind, but diplomacy shall proceed always frankly and in the public view.

II. Absolute freedom of navigation upon the seas, outside territorial waters, alike in peace and in war, except as the seas may be closed in whole or in part by international action for the enforcement of international covenants.

III. The removal, so far as possible, of all economic barriers and the establishment of an equality of trade conditions among all the nations consenting to the peace and associating themselves for its maintenance.

IV. Adequate guarantees given and taken that national armaments will reduce to the lowest point consistent with domestic safety.

V. Free, open-minded, and absolutely impartial adjustment of all colonial claims, based upon a strict observance of the principle that in determining all such questions of sovereignty the interests of the population concerned must have equal weight with the equitable claims of the government whose title is to be determined.

VI. The evacuation of all Russian territory and such a settlement of all questions affecting Russia as will secure the best and freest coöperation of the other nations of the world in obtaining for her an unhampered and unembarrassed opportunity for the independent determination of her own political development and national policy, and assure her of a sincere welcome into the society of free nations under institutions of her own choosing; and, more than a welcome, assistance also of every kind that she may need and may herself desire. The treatment accorded Russia by her sister nations in the months to come will be the acid test of their good-will, of their comprehension of her needs as distinguished from their own interests, and of their intelligent and unselfish sympathy.

VII. Belgium, the whole world will agree, must be evacuated and restored, without any attempt to limit the sovereignty which she enjoys in common with all other free nations. No other single act will serve as this will serve to restore confidence among the nations in the law which they have themselves set and determined for the government of their relations with one another. Without this healing act the whole structure and validity of international law is forever impaired.

VIII. All French territory should be freed and the invaded portions restored, and the wrong done to France by Prussia in 1871 in the matter of Alsace-Lorraine, which has unsettled the peace of the world for nearly fifty years, should be righted, in order that peace may once more be made secure in the interest of all.

IX. A readjustment of the frontiers of Italy should be effected along clearly recognizable lines of nationality.

X. The people of Austria-Hungary, whose place among the nations we wish to see safeguarded and assured, should be accorded the freest opportunity of autonomous development.

XI. Rumania, Serbia and Montenegro should be evacuated; occupied territories restored; Serbia accorded free and secure access to the sea; and the relations of the several Balkan States to one another determined by friendly counsel along historically established lines of allegiance and nationality; and international guarantees of the political and economic independence and territorial integrity of the several Balkan States should be entered into.

XII. The Turkish portions of the present Ottoman Empire should be assured a secure sovereignty, but the other nationalities which are now under Turkish rule should be assured an undoubted security of life and an absolutely unmolested opportunity of autonomous development, and the Dardanelles should be permanently opened as a free passage to the ships and commerce of all nations under international guarantees.

XIII. An independent Polish State should be erected which should include the territories inhabited by indisputably Polish populations, which should be assured a free and secure access to the sea, and whose political and economic independence and territorial integrity should be guaranteed by international covenant.

XIV. A general association of nations must be formed under specific covenants for the purpose of affording mutual guarantees of political independence and territorial integrity to great and small States alike.

L'offensive allemande du 21 mars se déroula dans le brouillard, ce qui empêcha les Alliés de voir ce qui se passait. Les gaz ajoutèrent à la confusion. Le capitaine Lodge-Patch, un médecin militaire britannique, sortit pendant l'offensive pour demander à ses hommes de se replier. Il raconte ici ce qui se passa ensuite.

J'étais aussi perdu qu'un navire sans boussole ni gouvernail au milieu de l'océan, et je tournai en rond dans le brouillard. Le pilonnage s'était intensifié et le brouillard était rendu encore plus épais par la fumée des explosions qui projetaient de la terre de tous les côtés. Un 5.9 tomba à mes pieds et m'ensevelit jusqu'à la taille. Je n'étais pas blessé mais j'étais étourdi. Je m'assis pour reprendre ma respiration et me reposer pendant quelques minutes. Sans penser à ce que je faisais, j'enlevai mon masque à gaz pour mieux voir et j'aspirai une bouffée de phosgène. J'étais resté jusqu'alors assez calme mais là, je fus presque pris de panique et je pensai que j'allais mourir. Je réussis cependant à me reprendre…

Un **5.9** est un type d'obus.

Le **phosgène** est un gaz de combat.

La contre-offensive alliée

Le 15 juillet 1918, les Allemands lancèrent leur dernière offensive vers Reims et la Marne. Mais les Alliés les tinrent en échec et trois jours plus tard, Foch contre-attaqua.

Le 18 juillet, cette contre-offensive débuta par une opération franco-américaine en Champagne. Avec l'aide de 500 chars, les Alliés repoussèrent les Allemands d'une dizaine de kilomètres. Le 8 août, près d'Amiens, en Picardie, les Français lancèrent une nouvelle offensive encore plus importante avec les Britanniques, les Australiens et les Canadiens. Aidés par les chars, ils enfoncèrent les lignes ennemies et conquirent dans la journée 285 km² de terrain. Ludendorff déclara qu'il s'agissait d'un « jour de deuil » pour l'armée allemande et abandonna tout espoir de victoire.

En août, les Alliés poursuivirent leur reconquête de la Picardie.

Le colonel George Patton.

En septembre 1918, les chars Mark V britanniques se préparent à avancer sur la ligne Hindenburg. Ils transportent des claies qu'ils déroulent sur les tranchées pour les traverser.

Le 12 septembre, les Américains attaquèrent la région de Saint-Mihiel qui formait un saillant au sud de Verdun (voir carte page 50). Les 500 000 soldats américains s'emparèrent du saillant en moins de 24 heures. Il y avait parmi eux le colonel George Patton qui devait jouer un rôle de premier plan pendant la Seconde Guerre mondiale. Peu après, Foch élargit l'offensive sur l'ensemble du front ouest. Le 26 septembre s'ouvrit le dernier chapitre de la guerre.

La nouvelle offensive fut lancée en Champagne, près de la Meuse et de la région boisée de l'Argonne. Les Américains, soutenus par les Français, menèrent l'attaque sous les ordres du général Pershing. Leur progression, d'abord rapide, ralentit quand les Allemands consolidèrent leurs défenses et envoyèrent des renforts. Cependant, en septembre, les Américains se trouvaient à l'intérieur de la ligne Hindenburg. Pendant ce temps, les Britanniques avaient effectué une percée dans les défenses allemandes plus au nord. Ce fut un succès important.

Les Allemands avaient perdu la guerre sur les champs de bataille. Ludendorff craquait sous la pression et à la fin du mois

Cette peinture montre des soldats blessés qui ont traversé la ligne Hindenburg. Au loin, le combat continue.

de septembre, il persuada son gouvernement de demander un armistice. Cette demande fut adressée au président Woodrow Wilson le 4 octobre. Mais Ludendorff refusa les conditions de Wilson et préféra continuer le combat. La défaite de l'Allemagne était inévitable et le pays devait de plus faire face à de graves problèmes intérieurs.

Aux États-Unis

Après l'entrée en guerre des États-Unis, la vie changea dans le pays. Le Bureau des industries de guerre contrôlait toutes les usines et leur indiquait ce qu'elles devaient produire. Le Bureau du travail de guerre réglementait la durée du temps de travail et les salaires. De nombreuses femmes, qui avaient déjà un travail, étaient remployées dans les industries d'armement. Le Comité de l'information publique fut créé pour organiser la censure et expliquer les causes de la guerre. Il utilisa beaucoup le cinéma pour sa propagande.

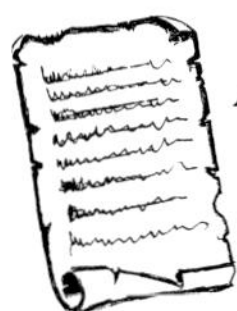

***À l'Ouest rien de nouveau* (1929) est le célèbre roman de l'auteur allemand Erich Maria Remarque qui combattit pendant la Première Guerre mondiale. Il raconte l'histoire de jeunes Allemands dans les tranchées. Dans ce passage, Paul Baümer, le personnage principal, rapporte ses sentiments durant l'été 1918.**

Cet été est le plus sanglant et le plus dur. Les jours sont comme des anges bleus et or qui s'élèvent, intouchables, au-dessus du cercle de destruction. Tout le monde sait que nous sommes en train de perdre la guerre. Personne n'en parle beaucoup. Nous sommes en train de battre en retraite. Nous ne pourrons plus attaquer après cette offensive massive. Nous n'avons plus d'hommes ni de munitions. Mais la campagne continue - nous continuons à mourir... L'été 1918, jamais la vie sur le front n'a été aussi amère et horrible que quand nous sommes pris sous le feu, quand les visages blafards s'enfoncent dans la boue, quand les poings se serrent et que votre corps entier dit NON !

IM
WESTEN NICHTS NEUES
VON
ERICH MARIA REMARQUE
826.—850. TAUSEND
1 9 2 9
IM PROPYLÄEN-VERLAG / BERLIN

L'ARMISTICE

En 1918, le manque de nourriture en Allemagne pousse les civils à chercher à manger dans les tas d'ordures.

En 1918, l'Allemagne dut affronter une crise. La faim et la désillusion provoquées par la guerre étaient à l'origine d'un mécontentement croissant envers le gouvernement impérial. Cette colère était aggravée par les inégalités de la société allemande. Le marché noir, en pleine expansion, permettait aux riches de bien vivre alors que les pauvres devaient se nourrir de navets et de pommes de terre.

Le *Kaiser* et son état-major avaient espéré qu'une victoire lors de l'offensive de mars 1918 ramènerait le calme. Son échec eut l'effet contraire. Les Allemands perdirent confiance en leurs dirigeants et ils exigèrent des changements. L'hésitation des Alliés à entamer des négociations de paix avec le régime impérial augmenta encore la demande de réformes.

Finalement, l'empereur Guillaume II signa, le 30 septembre, un décret qui donnait à l'Allemagne un régime démocratique parlementaire. Le prince Max von Baden devint le nouveau chancelier (le Premier ministre). Ce fut lui, et non pas l'armée, qui négocia un armistice avec les Alliés. C'était exactement ce que désirait le chef d'état-major Erich Ludendorff. Bien que responsable de l'échec militaire de son pays, il reprocha aux civils de ne pas avoir suffisamment soutenu leur armée. Il était également à l'origine de la demande d'armistice, mais cette demande fut faite par le chancelier. Ludendorff put donc refuser les conditions du président Wilson, en affirmant que l'armée avait toujours voulu continuer à se battre.

Le *Kaiser* démit Ludendorff de ses fonctions le 26 octobre, mais les combats continuèrent, car il n'y avait toujours pas d'accord sur les conditions de paix. Les autorités allemandes décidèrent de

Les officiels allemands (debout) arrivent pour signer l'armistice le 11 novembre 1918 à 5 heures du matin. Cet événement historique se déroula dans un wagon de chemin de fer, dans la forêt de Compiègne, dans le Nord de la France.

lancer une nouvelle campagne maritime. Les marins allemands n'avaient pas pris la mer depuis 1916 (voir pages 26-27) et le ressentiment envers leurs officiers et le gouvernement avait grandi. Le 29 octobre, ils se mutinèrent à Kiel et Wilhelmshaven.

L'agitation gagna rapidement tout le pays. De plus en plus d'Allemands exigèrent le départ du *Kaiser*. Le 8 novembre, il s'enfuit de Berlin et abdiqua le jour suivant. L'Allemagne devint une république dirigée par Friedrich Ebert et l'armistice fut signé deux jours plus tard. Le cessez-le-feu entra en vigueur le 11 novembre à 11 heures.

La bataille de Vittorio Veneto

Sur le front ouest, les combats prirent fin avec le cessez-le-feu du 11 novembre. Sur le front de Salonique (voir page 23), les Bulgares avaient déjà signé un armistice le 29 septembre. Au Moyen-Orient, les Turcs avaient signé un armistice le 30 octobre (voir page 49). La défaite italienne de Caporetto (voir page 45) fut compensée par une victoire alliée sur l'armée autrichienne à Vittorio Veneto, le 4 novembre. Ce fut la fin des combats.

Vera Brittain fut infirmière volontaire à Londres, Malte et en France. En 1933, elle publia son autobiographie intitulée *Testament of youth* (Testament de Jeunesse) dans laquelle elle rapporte ses expériences. Son frère Edward et son fiancé Roland moururent tous deux pendant la guerre. Elle était à Londres lorsque le cessez-le-feu fut annoncé. Elle raconte ici ce qu'elle éprouva.

Quand les coups de canon annoncèrent la victoire à 11 heures, le 11 novembre 1918, les hommes et les femmes qui se regardèrent avec incrédulité ne crièrent pas avec jubilation : « Nous avons gagné la guerre ! ». Ils dirent simplement : « La guerre est finie. »... Tard ce soir-là, après le souper, un groupe d'infirmières exaltées eut envie d'aller à Buckingham Palace en passant par Westminster et Whitehall. Je me laissai convaincre de les accompagner... Je quittai le groupe et longeai lentement Whitehall quand mon cœur fut submergé de chagrin... Je prenais pour la première fois conscience... que tout ce qui avait fait ma vie jusqu'alors avait disparu avec Edward et Roland... La guerre était finie ; une nouvelle ère commençait ; mais les morts étaient morts et ne reviendraient jamais.

Desagneaux fait référence aux feux des combats, pas à un vrai feu d'artifice.

Henri Desagneaux (voir page 13) était encore dans les tranchées quand l'armistice fut signé. Voici les souvenirs qu'il garda de l'événement.

11 novembre
Le **feu d'artifice** a continué toute la nuit sur le camp ennemi. À 6 h, on entend à la radio que l'armistice est signé. La fin des hostilités est fixée à 11 h. À 11 h, tout est fini, nous ne sommes plus en guerre. Quelle joie ! Le champagne coule à flots, l'attaque n'aura pas lieu. Les sourires sont sur toutes les lèvres, plus de combats, nous pourrons nous déplacer sans craindre une balle, un obus ou les gaz. La guerre est finie !

L'APRÈS-GUERRE

Les conséquences dramatiques de la guerre furent politiques, économiques et humaines. Les principales questions politiques se réglèrent, du moins temporairement, par le traité de Versailles signé en 1919. Les pertes matérielles furent considérables. Certaines régions qui servirent de champ de bataille, comme la France du Nord, sont en ruine. Mais ce sont les pertes humaines qui se firent le plus cruellement sentir. Morts, blessés, invalides, « gueules cassées », veuves, orphelins, soldats traumatisés, tous ces cas furent traités avec plus ou moins de succès.

La conférence de la Paix s'ouvrit à Paris le 18 janvier 1919. Vingt-sept pays étaient représentés avec comme participants, chez les Alliés, les présidents américain et français, Wilson et Clemenceau, et les Premiers ministres britannique et italien, Lloyd George et Orlando. Les représentants allemands étaient exclus des discussions. Les quatorze points de Wilson (voir page 51) fournirent le point de départ des débats.

Les discussions ne furent pas sans heurts, en particulier entre l'idéaliste Wilson et Clemenceau, plus pragmatique et revanchard.

Cinq traités furent préparés, dont le plus important : le traité de Versailles entre les Alliés et l'Allemagne. Les autres établissaient le partage des Empires ottoman et austro-hongrois et forçaient la Bulgarie à céder une partie de son territoire.

Le traité de Versailles fut signé le 28 juin 1919. Quelques-uns des quatorze points furent retenus, comme par exemple la création de la Société des Nations, une organisation chargée de préserver la paix. Mais l'Allemagne fut traitée plus sévèrement que ne l'avait espéré Wilson. Considérée comme responsable de la guerre, elle fut condamnée à payer de lourdes compensations financières pour les dommages causés par le conflit. Elle perdit une partie de son territoire (voir pages 58-59) et ses colonies, et elle dut limiter ses forces armées.

Bien que cet accord ne fût jamais accepté par le Congrès américain, les Allemands n'eurent d'autre choix que de se plier à ces exigences. Mais le ressentiment et les désordres économiques que provoqua le traité contribuèrent directement à l'ascension d'Adolf Hitler et au déclenchement de la Seconde Guerre mondiale, à peine vingt ans plus tard, en 1939.

Ce tableau représente la signature du traité de Versailles en janvier 1919.

Wilfred Owen servit dans le *Artist's Rifles and Manchester Regiment*. Ses poèmes furent publiés pour la première fois en 1920, deux ans après sa mort.

UN PRIX CRUEL

La guerre a causé près de 9 millions de morts et 20 millions de blessés, dont 6 millions d'invalides. Pour les blessés au visage, les « gueules cassées », il leur fut difficile de réintégrer la vie civile. On dénombra plus de 4 millions de veuves et 8 millions d'orphelins. À ces pertes, il faut ajouter la mortalité due aux mauvaises conditions d'hygiène, aux privations de nourriture et à l'épidémie de grippe espagnole qui se déclencha en 1918.

Le poète soldat Wilfred Owen (ci-dessus) fut commotionné au printemps 1917. Il se fit soigné dans un hôpital écossais, puis revint en France où il fut tué une semaine avant l'armistice. Voici un extrait de son poème *Handicapé*.

Assis dans son fauteuil roulant, il attendait la nuit
Et tremblait dans son sinistre costume gris
Sans jambes, aux manches cousues aux coudes.
Il entendait dans le parc des voix de garçons
attristantes comme un cantique,
Des cris de jeu et de plaisir...
...
Il va passer de longues années dans des hôpitaux,
Et faire ce que diront les règlements,
Et accepter la pitié qu'ils lui accorderont.
Il a remarqué ce soir comment les yeux des femmes
Glissaient sur lui vers les hommes forts et entiers.
Il fait si froid, il est si tard !
Pourquoi ne viennent-ils pas pour le mettre au lit ?
Pourquoi ne viennent-ils pas ?

Cet article du traité de Versailles rendait l'Allemagne responsable de la guerre et exigeait des réparations.

Article 231. Les gouvernements alliés et associés déclarent et l'Allemagne reconnaît que l'Allemagne et ses alliés sont responsables, pour les avoir causés, de toutes pertes et de tous dommages subis par les gouvernements alliés et leurs nationaux en conséquence de la guerre qui leur a été imposée par l'agression de l'Allemagne et de ses alliés...

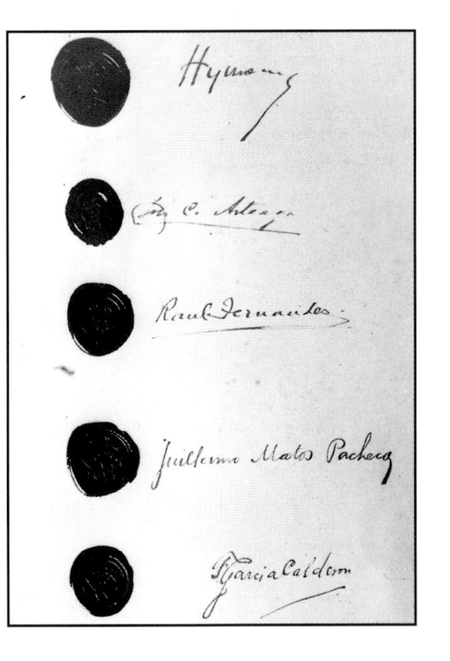

Les signatures et les cachets de quelques participants au traité de Versailles.

Conclusion

Le monde qui émergea du cataclysme de la Première Guerre mondiale était très différent de celui de l'avant-guerre. Une génération d'hommes jeunes avait été sacrifiée. Les populations civiles étaient en deuil. Quatre empires s'étaient écroulés et la carte du monde était redessinée. Les États-Unis jouaient un nouveau rôle. Les effets de cette guerre furent si profonds qu'elle fut appelée la « Grande Guerre ».

La définition des nouvelles frontières du monde prévues par le traité de Versailles était très complexe. L'Alsace-Lorraine fut restituée à la France. L'Allemagne céda une partie de son territoire à la Pologne qui fut elle-même libérée de la tutelle russe, tout comme les États baltes d'Estonie, de Lettonie et de Lituanie. La région rhénane, entre la France et l'Allemagne, fut occupée par les Alliés et la Sarre placée sous le contrôle de la Société des Nations pour une période de quinze ans. L'Empire austro-hongrois fut démantelé pour donner naissance à l'Autriche, le Hongrie et la Yougoslavie.

En dehors de l'Europe, la France et la Grande-Bretagne se partagèrent les colonies africaines de l'Allemagne et les territoires de la Turquie au Moyen-Orient. Une grande partie de la Turquie fut cédée à la Grèce, mais les Turcs la reconquirent et proclamèrent la République turque en 1923.

Sur cette photographie prise en 1933, le maréchal Paul von Hindenburg, président de la République allemande, et Adolf Hitler, le nouveau chancelier, sont assis côte à côte.

La nouvelle Europe

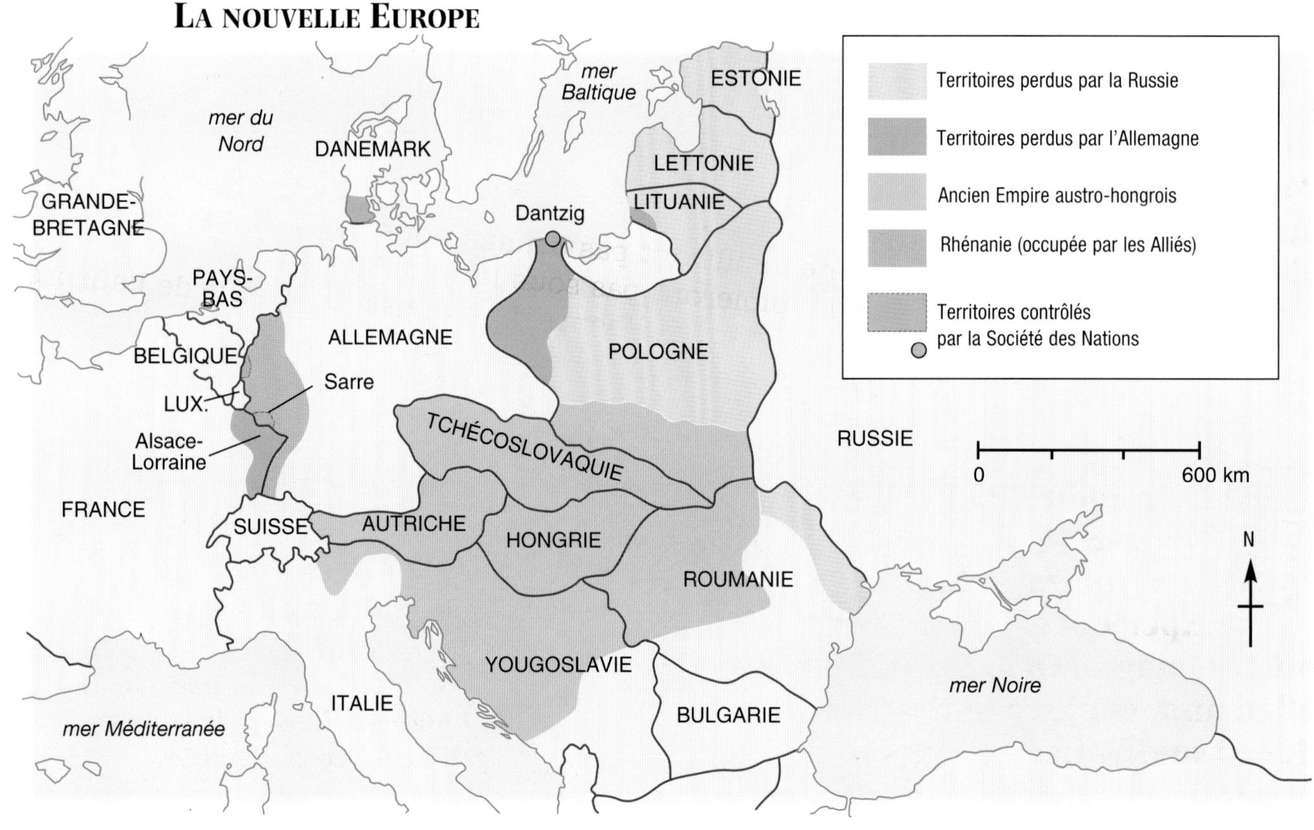

Tous ces bouleversements créèrent une grave instabilité. Comme avant la guerre, certaines minorités nationales se retrouvaient placées sous l'autorité d'autres nations, comme par exemple les Allemands en Pologne. La Société des Nations ne put empêcher l'apparition de tensions. Les Allemands reprirent peu à peu confiance et, en 1933, le chef nazi Adolf Hitler parvint au pouvoir.

Hitler utilisa la théorie « du poignard dans le dos », théorie de Hindenburg selon laquelle l'armée avait été trahie par les civils (voir page 54), pour justifier ses attaques contre ses opposants politiques. Il assura aussi aux Allemands, humiliés par le traité de Versailles, que leur nation retrouverait bientôt sa grandeur. Une autre guerre était en préparation.

Le souvenir des morts

Après la guerre, des monuments aux morts furent érigés sur les champs de bataille et dans les villes et villages où des combattants furent tués par l'ennemi. Ces monuments devinrent des lieux de pèlerinage. Le souvenir de ceux qui sacrifièrent leur vie est en particulier célébré le 11 Novembre, le jour de l'armistice, lors de cérémonies officielles. Un soldat français d'identité inconnue, tombé pendant la guerre, fut transporté le 11 novembre 1920 sous l'Arc de triomphe, à Paris, afin que soient honorés en lui tous les soldats morts à la guerre.

La cérémonie d'inauguration, en 1936, du monument aux soldats morts à la crête de Vimy (voir page 42).

Laurence Binyon, infirmière à la Croix-Rouge pendant la guerre, écrivit un poème intitulé *Pour les morts*, souvent lu le 11 Novembre. En voici un extrait :

Ils ne vieilliront pas comme nous,
ils ne ploieront pas sous le poids des ans.
Quand viendra l'heure du crépuscule et celle de l'aurore,
nous nous souviendrons d'eux.

De nombreux soldats qui vécurent l'horreur des tranchées évoquèrent plus tard leur expérience par des mots ou des images. Otto Dix, un peintre allemand, conjura le cauchemar de ses souffrances par ses tableaux et par des textes tels que celui-ci :

Des poux, des rats, des barbelés,
des puces, des obus, des
bombes, des trous, des corps,
du sang, de l'alcool, des canons,
des ordures, des balles, du feu,
de l'acier : c'est ça la guerre.
C'est l'œuvre du diable.

Glossaire

Alliés : les pays opposés à l'Allemagne au cours de la Première Guerre mondiale : France (et ses colonies), Grande-Bretagne (et son Empire), Belgique, Japon, Italie, États-Unis, Grèce, Monténégro, Portugal, Roumanie, Russie et Serbie.

Anzac : sigle de l'*Australian and NewZealand Army Corps*, qui désigne les unités australiennes et néo-zélandaises qui combattirent pendant la Première Guerre mondiale.

armistice : un accord conclu entre les belligérants pour suspendre les hostilités.

arrière : la population, le territoire d'un pays en guerre, qui se trouvent en arrière de la zone des combats.

artillerie : les canons, leurs munitions et le matériel nécessaire pour leur service.

baïonnette : une lame fine et longue fixée à l'extrémité du canon d'un fusil et utilisée dans les combats au corps à corps.

Balkans : une péninsule du Sud-Est de l'Europe qui regroupait en 1914 l'Albanie, la Bulgarie, la Grèce, le Monténégro, la Roumanie, la Serbie et la partie européenne de l'Empire ottoman.

balle incendiaire : une balle qui déclenche un incendie en frappant sa cible.

blocus : l'isolement d'une ville, d'un pays pour empêcher toute communication avec l'extérieur.

bolchevik : un partisan des positions de Lénine, dont les amis obtinrent la majorité lors du IIe congrès du parti ouvrier social-démocrate de Russie, en 1903. Ce mot signifie « partisan de la majorité ».

conscription : l'enrôlement obligatoire des hommes dans l'armée.

convoi : un ensemble de bateaux marchands protégé par une escorte de navires militaires.

corps d'armée : une unité militaire formée de plusieurs divisions.

corps expéditionnaire : des troupes constituées en vue d'une expédition loin de leur pays d'origine.

division : une unité militaire regroupant les troupes de différentes armes et placées sous les ordres d'un général. En 1914, les divisions françaises comptaient entre 10 000 et 12 000 soldats et les divisions britanniques environ 15 000.

Empires centraux : les pays qui se battirent contre les Alliés au cours de la Première Guerre mondiale : Allemagne, Autriche-Hongrie, Empire ottoman et Bulgarie.

Entente cordiale : l'alliance formée par la France et la Grande-Bretagne en 1904.

état-major : les officiers qui aident un chef militaire à préparer et à exécuter ses opérations.

Flandres : la plaine du nord-ouest de l'Europe partagée entre le Nord de la France, la Belgique et les Pays-Bas.

front : la zone des combats.

front est : les zones d'Europe de l'Est où se déroulèrent des combats pendant la Première Guerre mondiale.

front ouest : les zones d'Europe de l'Ouest où se déroulèrent des combats pendant la Première Guerre mondiale.

guérilla : une guerre de coups de main, une guerre de partisans.

guerre d'usure : une guerre statique au cours de laquelle les deux camps essaient d'épuiser les forces de l'ennemi.

infanterie : des troupes qui combattent à pied.

isolationnisme : la politique d'isolement d'un pays qui refuse de participer aux affaires internationales.

lance-flammes : une arme qui projette du gaz ou de la paraffine enflammés.

ligne : dans le langage militaire, la succession d'ouvrages fortifiés (tranchées, forts...) constitués par les troupes qui sont au contact de l'ennemi : ligne de front, ligne de feu, première ligne...

ligne Hindenburg : une ligne de tranchées fortifiées située sur le front ouest et vers laquelle les Allemands se replièrent en 1917.

marché noir : le marché clandestin de marchandises organisé, en période de rationnement par exemple.

mobiliser : procéder à l'ensemble des opérations (mobilisation) permettant de mettre un pays sur le pied de guerre.

***no man's land* :** le terrain situé ente les deux premières lignes de deux armées ennemies.

objecteur de conscience : une personne qui refuse de se battre pour des raisons de conscience - parce qu'elle estime que se battre est moralement condamnable.

obus : les divers projectiles utilisés par l'artillerie. Certains explosent en l'air, les autres en touchant leur cible.

offensive : une attaque militaire importante regroupant les unités de plusieurs armes.

ottoman (Empire) : l'Empire turc de 1299 à 1918. Il couvrait à son apogée un très vaste territoire regroupant la Turquie et une partie de la Russie, de l'Europe du Sud et de l'Afrique du Nord.

phosgène : un gaz incolore extrêmement toxique utilisé comme arme chimique ; il provoque des problèmes respiratoires entraînant souvent la mort.

propagande : la diffusion d'informations partiales en faveur d'une cause.

rationnement : la distribution de quantités limitées et déterminées de certaines marchandises.

reconnaissance : l'action de recueillir des informations sur les activités de l'ennemi, en survolant par exemple les tranchées.

recrue : un soldat nouvellement entré dans l'armée.

réparations : des compensations accordées, par exemple, pour des dégâts causés pendant une guerre. Après la guerre, les Allemands durent payer des réparations sous forme d'argent, mais aussi de navires, de matières premières et d'autres marchandises.

saillant : une avancée d'un territoire dans un autre territoire, ou d'un front dans les lignes ennemies.

section d'assaut : une petite formation d'infanterie constituée pour une attaque rapide et violente afin d'emporter une position ennemie.

Serbes : un peuple slave qui parle serbo-croate. Avant la guerre, certains Serbes vivaient dans le royaume de Serbie et d'autres dans l'Empire austro-hongrois.

Slaves : des peuples d'Europe de l'Est et de l'Asie du Nord-Ouest qui parlent les langues slaves, comme par exemple le russe, le polonais et le serbo-croate.

téléphone de campagne : un type particulier de téléphone qui peut être utilisé sur un champ de bataille.

torpille : un engin de guerre autopropulsé, chargé d'explosifs, et utilisé sous l'eau pour détruire des navires et des sous-marins.

Triple-Alliance : l'alliance formée par l'Allemagne, l'Autriche-Hongrie et l'Italie en 1882.

Triple-Entente : l'alliance formée par la France, la Grande-Bretagne et la Russie en 1907.

***U-boot* :** l'abréviation du mot allemand *Unterseeboot* qui signifie sous-marin.

INDEX